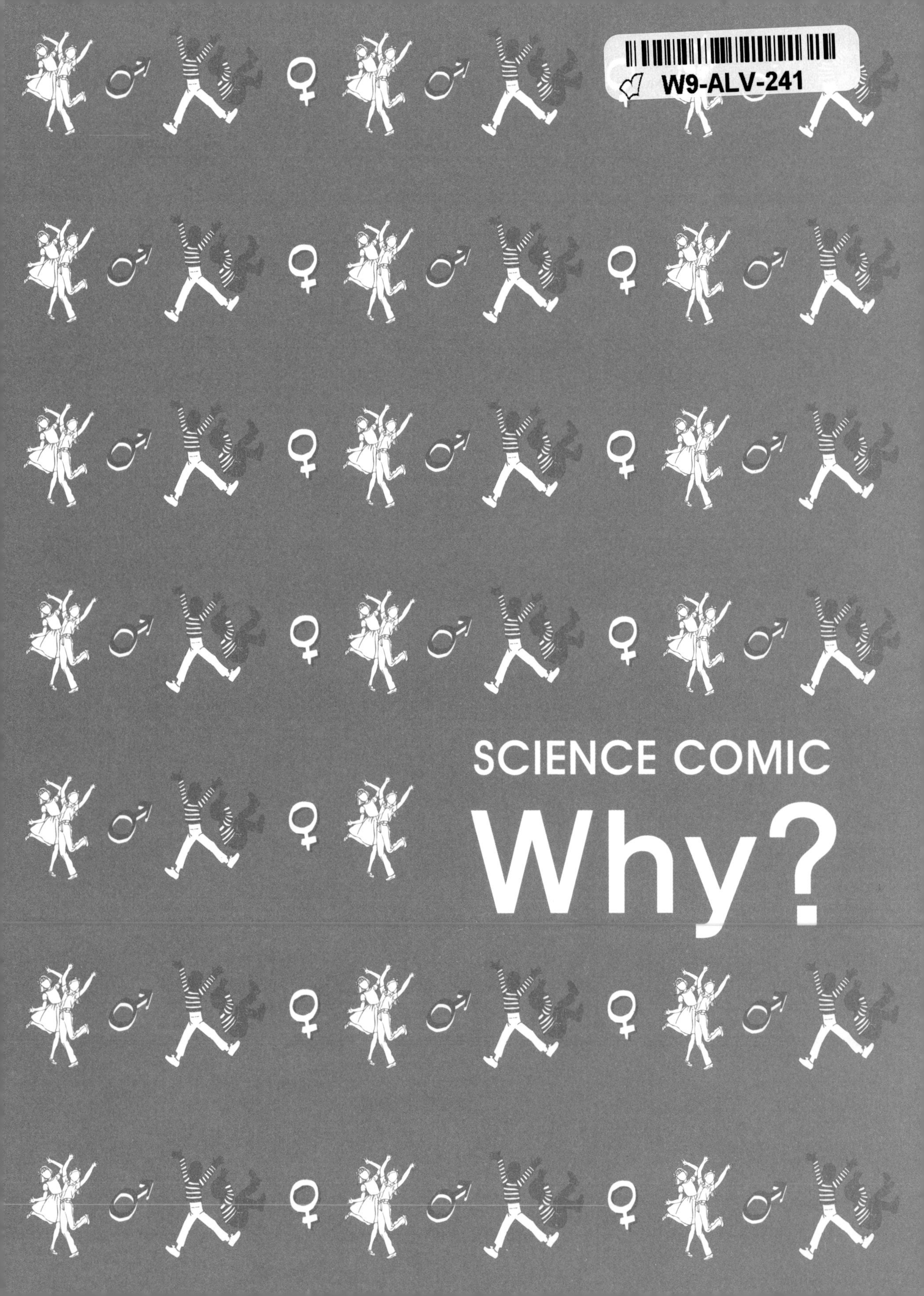

SCIENCE COMIC
Why?

Why? 사춘기와 성

Staff

내용을 꼼꼼히 감수해 주신 분

이혜성

서울대학교를 졸업하고 미국 버지니아대학교에서 교육학 박사 학위를 받았습니다. 현재 한국청소년상담원 원장, 이화여대 명예교수, 서울YWCA 이사, 한국카운슬러협회 회장, 한국간행물윤리위원회 위원, 청소년보호위원회 중앙위원을 맡고 있습니다. 그 동안 청소년과 여성 상담에 관한 많은 책과 논문을 발표하였고 수필집 〈사랑하자, 그러므로 사랑하자〉, 〈아름다움은 영원한 기쁨이어라〉도 출간하였습니다.

재미있는 밑글과 알기 쉽게 그림을 그려 주신 분

이복영

만화가, 프리랜스 일러스트레이터로 활동중이며 지금까지 낸 책으로는 〈팔방 미인 소녀 시대 1 · 2〉 〈새내기 멋내기〉 〈멋내기 Q〉 〈사랑은 블루〉 〈사랑은 레드〉 〈사랑은 화이트〉 〈왕고집 비밀북〉 〈왕팡팡 비밀북〉 등이 있습니다. 언제나 어린이를 위한 창작 작업에 머리 싸매고 끙끙거리고 있답니다.

기획 및 편집책임 유인화, 백광균
편집교정 연양흠, 전윤경, 박효정
사진 김창윤
비비안 / 동아제약주식회사 / 한국천주교주교회의가정사목위원회
디자인 이정애, 김수인, 김현아

Why? 사춘기와 성

2003년 7월25일 1판1쇄 발행
2007년 6월25일 1판34쇄 발행

펴낸이 나성훈
펴낸곳 (주)예림당
등록 제 4-161호
주소 서울특별시 강남구 삼성동 153
대표전화 566-1004
팩스 567-9660
http://www.yearim.co.kr
ISBN 978-89-302-0567-2 73470

Why? 사춘기와 성을 내면서

어느 날부턴가 뜬금없이 드는 생각들…
'나는 누구일까? 어떻게 생겨났고 왜 태어났을까?'
이런 자기 자신에 대해 고민하게 된다고요?
'뭐야, 어젠 다 컸다고 등 두드려 주시더니 오늘은 왜 또 어린애 취급하시는 거야? 어른들의 시시콜콜한 간섭과 통제 정말 짜증나!'
몸 안에 변덕스런 작은 악마가 숨어든 것처럼 자꾸만 짜증나고
미운 반항아가 된 것 같아 스스로도 당황스럽다고요?
그리고 머릿속이 복잡하고 가슴이 답답하다고요?
하지만 자기 삶에 흥미를 갖고 능동적이면서 그 나이만큼의
고민도 하고 갈등도 겪으면서 다가올 날들에 대해 싱그런 꿈을
키워 나가는 것은 건강한 삶이에요.
많이 생각하고 많이 배우고 고민도 충분히 하세요.
여자 또는 남자로서의 성 인식에 대해,
성숙한 어른을 닮아가는 몸의 변화에 대해,
자기 삶의 주인공이 누구인지 등에 대해서 말예요.
그것이 사춘기를 건강하게 맞이하고 보내는 일이에요.
가슴으로 생각하고 고민하면서 머리 한 켠엔
신비롭고 놀라운 성의 과학, 꼭 알아야 할 성 지식을 꼭꼭 쌓아 놓으세요.
어쩌면 내일, 또 어쩌면 일 년 후, 또는 오 년 후에
끄집어내 요긴하게 쓸 수도 있을 테니까요.

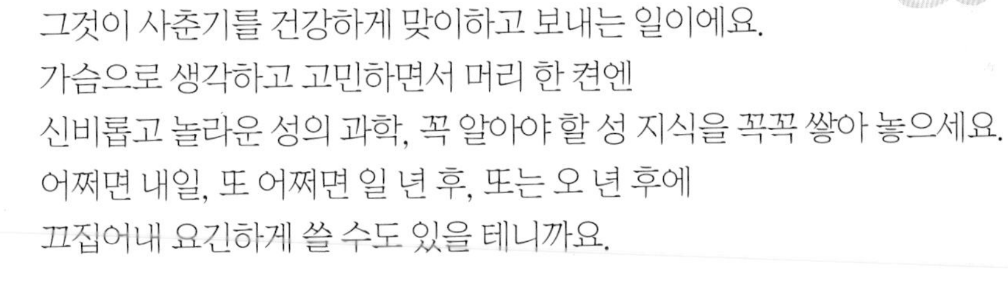

Contents

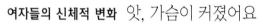

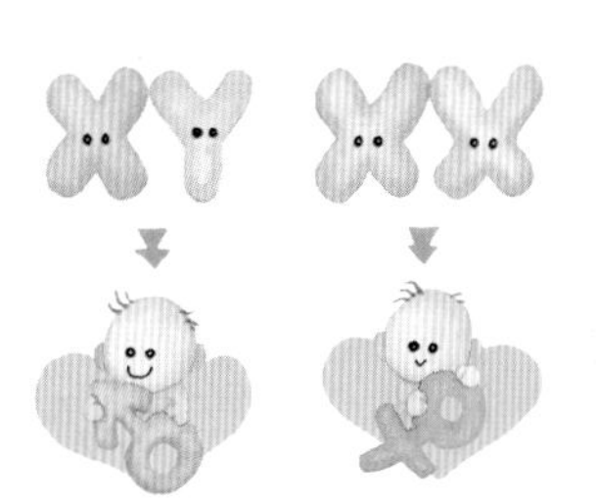

XY
XX

자유
선택
책임
성(sex) 자립
경제 자립
생활 자립
생각의 자립

Character

별요정

몸과 마음에 변화가 생긴
오몽이와 강나루에게
사춘기와 성에 대해
알려 준다.

오몽이

활발하고 밝은 성격.
남자들의 짓궂은 장난에도
당당하게 대응해 나간다.

강나루

눈물이 많은 소녀.
짝사랑으로 인해 마음
아파하지만 성숙하게
이겨 낸다.

주남규

고등학교 2학년으로
강나루의 짝사랑 상대자.
강나루의 든든한 오빠가
되어 주겠다고 자청한다.

노칠구

봉두석

나루 이모

몽이 삼촌

오몽룡

몽이 아빠

몽이 엄마

사춘기의 심리적 변화

내 마음이 이상해요

몽이야,
같이 가~
어? 강나루!
오늘도 또 요쯤에서
만났네.

하
야
하
그러게,
너랑 난 운명의
친구인가 봐.
그치?
우후~
운명씩이나?
해
해
히히...

어이~
눈물 공주와
검정깨 마녀!
너희들 지금 무슨
영화 찍냐?

아침부터
너희랑 싸우기 싫으니까
조용히 지나가 주셔!

물론 가 주지.
근데 네 얼굴의
검정 참깨는 갈수록
그 수확량이 느는
것 같다?!
이웃 돕기 차원에서
우리에게도 좀 나누어
주지 그러셔.
엉?

흥, 좋아!
나누어 줄 테니까
그릇 들고 따라와!
어쭈~
점점 단수가
세지는데?!
흐흐, 재가
작전을 바꾸기로
했나 보네?!

꺄악~!
튀
잉!
너… 너희들,
정말 너무 하잖아!
어어? 눈물이
보일 둥 말 둥, 10초
안에 운다 울어!
흐흐…
뭘 그리 놀라시나?
오늘도 잘 착용했나
확인 작업을 한
것뿐인데.

우… 울긴 누가~
봐라 봐!
한 방울이
나올 둥 말 둥…
1초 안에
주루룩이다!

눈물 따윈 안 나와!
나루는 절대 안 울어,
절대로! 내기할래?
척
오옹?

봐, 안 울었지?
내가 이겼으니까 이제
그만 사라져 줄래?
우리가 언제
내기했었냐?
글쎄~ 암튼
뒷맛이 씁쓸하군.
아…
다행이다!
네 큰소리에
나오려던 눈물이
쏙 들어갔어.
히~
약발이 잘
들었네.
걔들이 원하는 게
바로 그거잖아.
나처럼 김 팍 새게
만드는 것도 통쾌한
대응법이야.
후후…
근데 강나루 너,
빽하면 찔끔거리니까
걔들이 더 그러잖아.
넌 걔들이
만날 검정깨 마녀,
망치 마녀라는데도
약오르지 않아?
후문

쟤들은 정말이지
저러고 싶을까?
울 아빠 왈,
사춘기 땐
저러고 싶대.
휴지통
정말?
그건 왜?
궁금해?
내가 알려 줄까?
어머얏~!
뭐… 뭐야…
너 누구야?
나? 별요정이야.
너희처럼 맑고 깨끗한
소녀들의 수호 요정이지.

별요정?
와~ 진짜
별천지네.
설마 우리가
만화 영화 속으로
들어온 건 아니겠지?
그건 멋대로
상상하셔들. 자, 아래를
봐! 사춘기가 뭔지 알려
줄게.

제가 어른이 되려는 건가요?

사춘기(思春期)

사춘기란 곧 생각이 꽃피는 시기로 친구와의 우정, 이성간의 사랑, 인간애 등에 대해 관심과 생각의 문이 열리는 시기입니다. 또한 신체적으로도 아이에서 어른으로 발달해 가는 과정에 있게 되죠.

신체적으로 어른이 되게 이끄는 성호르몬!

여자는 대략 11~14세, 남자는 그보다 조금 늦은 12~15세 정도에서 성호르몬이 급격히 늘어납니다. 이 성호르몬이 분비되면서 남자는 남자답게, 여자는 여자답게 모습이 변해 가게 되죠. 하지만 자기 자신에 대해 확고한 자신감이 없기 때문에 외모에 부쩍 신경을 쓰게 되고 이성에 대해 퐁퐁 솟아나는 호기심을 짓궂은 장난이나 무관심한 척 표현하기도 합니다.

뇌하수체
이곳에서 성호르몬이 분비된다.

사춘기 때 생기는 심리적 현상들

1. 그냥 이유 없이 막 답답하다.
2. 친구들과 수다를 떨다가도 갑자기 시시한 생각이 든다.
3. 가끔 어른들이 다 컸다고 대견해 하다가도 때로는 여전히 어린애 취급을 하면 화가 난다.
4. 명령이나 간섭 따윈 정말 지겹다.
5. 변덕이 심해진다.
6. 이유 없는 반항심이 생긴다.
7. 혼자 있고 싶을 때가 있다.
8. 속마음을 나눌 친구가 있었으면 좋겠다.
9. 감수성이 예민해진다.
10. 이성에게 관심이 간다.
11. 사회의 일들이 모순되고 불합리하게 보인다.
12. 왜 태어났는지 또 죽는다는 건 뭔지 자신의 존재에 대해 고민하게 된다.
13. 자신만만했다가도 소심해진다.
14. 부모님이나 가족의 보호가 귀찮게 여겨진다.
15. 때때로 나 자신이 싫어질 때가 있다.
16. 혼자 여행을 해 보고 싶다.
17. 남의 평가에 매우 신경이 쓰인다.
18. 혼자만의 비밀을 간직하고 싶다.
19. 모성애에 대해 생각한다.
20. 성적 욕구가 생긴다.

반항
반기

모두 동감이 되나요?
이 모든 것들은 성호르몬이 많이 분비되면서
감각 기관에 작용해 감수성을 민감하게 만들어 생기는
심리적 현상들입니다. 감정의 변화가 잦고, 사회와 가정
그리고 독립된 개체로서의 자아 의식이 강해지는 것이죠.
이 모두가 어른이 되기 위한 하나의 과정이니까 바람직한
방향으로 나아갈 수 있도록 모두 깊이 생각해 보아요.

너희만 그런 게 아니라
다른 친구들 모두 겪고 넘어가는
한때의 매운 바람이라면
이해가 되겠니?
글쎄… 됐니?!
으응, 조금….
띠리리링
맘마
타임이당~
야호~
나루야,
나 기분이 이상해.
아래가 자꾸 칙칙한
느낌이 들어.
어머,
빨리 화장실에
가 보자, 응?
엄마얏~
왜 그래?
뭔데 그래?

혹시, 너 월경 아니니?
월경? 그 매달 한다는 거? 어어, 정말 그런가 봐.
아앙~ 기분이 이상해.
여자 화장실
어머어머! 내가 양호실 가서 생리대 가져올게. 조금만 기다려.
땡큐다. 울보 친구도 꽤 쓸모가 있네.
생리대 사용법 알려 줄 테니 잘 들어. 월경은 내가 선배니까.
어유~ 별게 다 선배래. 이건 기본이지.
접착 테이프를 떼어내고 팬티에 붙이면 되는 거잖아.
슬림소형
짝짝짝! 오몽이의 초경을 축하합니다!
우앗~! 창피하게 화장실까지.
빨랑 나가!
허허, 이거 왜 그래? 난 순순하게 너희를 도와 주려고 온 거라니까.

자, 그럼 이제
공부하자.

공부?
지겨운 공부를
화장실에서 하자고?

너희 눈엔 여기가
화장실로 보이니?
앗! 어느새
순간 이동을?!
와~ 이번엔
꽃천지네.

월경은 왜 하게 되나요?

신비하게도 여자의 몸은 한 달에 한 번씩 자궁에 아기 요람을 준비한답니다.
자궁의 안쪽 벽은 특수한 점막으로 덮여 있는데, 매달 난소에서 난자가 성숙할 무렵이면 그 두께가 두툼해집니다. 난자가 수정될 것을 대비해서 말이죠. 수정된 태아를 성장시키기 위해서는 많은 양의 혈액이 필요한데 이 새로운 혈액의 통로가 자궁 내막에 만들어집니다.
그런데 난자가 정자와 수정되지 않으면 새로 만들어진 자궁 내막은 쓸모가 없어져 부서지고 혈액과 함께 몸밖으로 흘러나오게 됩니다. 이것이 바로 월경(생리, 달거리, 멘스)이지요!
따라서 월경을 시작했다는 것은 엄마가 될 수 있다는 것을 의미하는 뜻깊은 일입니다.

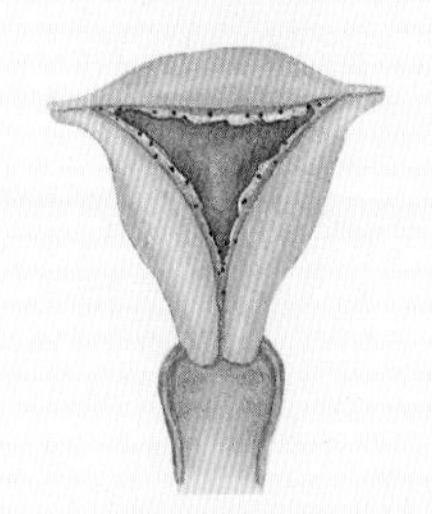

난소 안에서 난자가 성숙하는 동안 자궁 내막이 두꺼워진다.

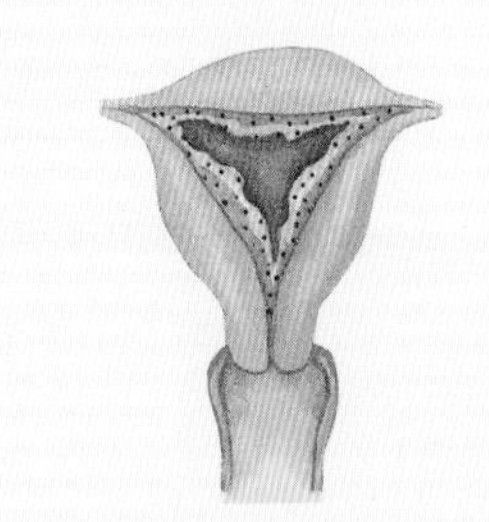

자궁 내막이 더욱 두꺼워진다.

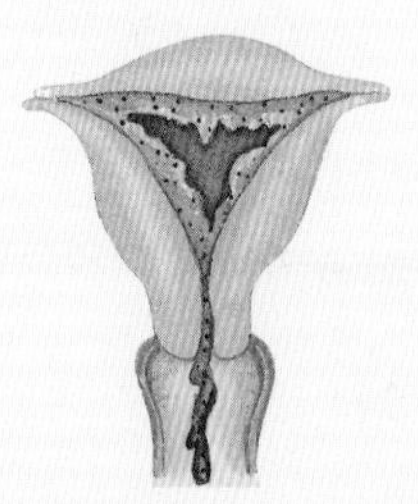

난자가 수정되지 않으면 자궁 내막은 부서져 질을 통해 몸 밖으로 흘러나온다.

고로 월경을 한다는 것은 절대로 부끄러워할 일이 아니야.
……!
근데 난 두 달 건너 나오기도 하는데 그건 왜 그래?

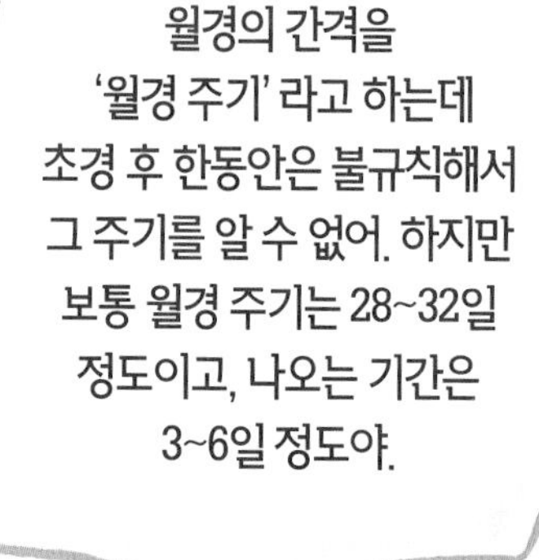

월경의 간격을 '월경 주기' 라고 하는데 초경 후 한동안은 불규칙해서 그 주기를 알 수 없어. 하지만 보통 월경 주기는 28~32일 정도이고, 나오는 기간은 3~6일 정도야.

그건 네 몸이 아직 다 성숙하지 않았기 때문에 그런 거니까 걱정 안 해도 돼.
하지만 1년 가까이 중단됐다면 의사와 상담해 보는 게 좋아.

자기의 월경 주기를 계산해 두면 다음 월경 날짜가 언제인지 알 수 있고 미리 생리대도 챙길 수 있어서 안심이 될 거야.

어머나~ 정말?!

내 딸 오몽이가 벌써 월경을?!
벌써래. 나루는 작년에 시작했다는데….

달칵
여보, 나 출출한데 라면 좀…

라면보다 지금 당장 축하 파티를 열어야겠어요.
파, 파티라니 엄마야~

무슨 일 났소?
났지요~
안 돼, 엄마앗!

탁
…….

하지만 일단은 나가 주셔야 할 분위기네요.
오잉? 그렇다면 뭐… 나야 언제나 말 잘 듣는 남편이니까.

몽이 넌 이제 아기를 가질
수 있는 성숙한 몸이 된 거야.
네 몸을 소중히 여겨야
한다는 건 얘기 안
해도 알지?
뭐, 조금은….

웃~ 근데, 엄마!
자꾸만 아랫배가
뻗치는 것처럼
아픈데?
생리통이
심한가 보구나.

잠깐
기다려 봐.
안 돼, 아빠한테
얘기하려고 그러지.

아예 엄마 입을
강력 접착제로 봉해
놓지 그러니?

이잉~ 정말
그럴까 보다.

자, 취침용 대형
생리대야. 안심하고
푹 자면 괜찮을 거야.

거들을 덧입는다면
몸을 뒤척여도 팬티가
고정되어 생리혈이
새지 않을 거야.

월경을 할 때 아랫배가 너무 아파요

사람에 따라 다르지만, 월경을 할 때는 허리나 아랫배가 아프거나 신경이 예민해지기도 합니다. 아주 심하게 통증을 느끼는 사람이 있는가 하면 전혀 아무렇지도 않게 넘어가는 사람도 있지요. 통증이 생기는 이유는 자궁의 근육이 수축하기 때문입니다. 그리고 아주 불안해하거나 월경하는 걸 싫어하거나 하면 그 마음이 몸에 미쳐서 심한 두통, 복통 등이 생기지요. 그러니 월경을 할 때는 무엇보다 마음을 편안하게 갖는 게 중요합니다. 만약 통증이 있다면 다음의 몇 가지 방법을 써 보세요. 그래도 못 참겠다면, 의사와 상담해 보세요.

따뜻한 차나 우유를 마셔 몸을 따뜻하게 한다.

물을 많이 먹고 비타민 C도 복용한다.

손가락 끝으로 척추 맨 아랫부분을 눌러 준다.

배를 깔고 눕거나 엉덩이를 들어올려 엎드려 있는다.

따뜻한 물주머니를 아랫배에 갖다 댄다.

긴장을 풀고 앉아서 깊게 숨을 들이쉰다.

월경을 할 때 지켜야 할 매너

월경을 할 때는 깔끔한 뒷처리가 중요합니다. 숙녀의 기본 매너 6가지!

1. 사용한 생리대는 돌돌 말아서 새로 바꿀 생리대의 포장지나 휴지에 싸서 휴지통에 버리기.

2. 생리대를 오랫동안 갈아 주지 않으면 불쾌한 냄새가 나고 비위생적이기 때문에 자주 갈아 주기. 생리대를 갈고 나서는 반드시 손을 깨끗이 씻기.

3. 생리량이 많을 땐 생리혈이 바깥으로 흐를 염려가 있기 때문에 흐르더라도 표시 안 나게 검정색 같은 진한색 하의를 입기.

4. 생리혈이 묻은 팬티는 스스로 세탁하기. 뜨거운 물에 첨벙 담그면 혈액이 굳어져 잘 빠지지 않으므로 미지근한 물에 적셔 비누칠한 다음 싹싹 비비면 깨끗해짐.

5. 화장실에서 볼일을 본 뒤엔 반드시 변기의 청결 상태를 확인하기. 혹시 변기에 생리혈이 묻어 있다면 휴지로 닦아 내기.

6. 월경 때는 대중탕이나 수영장을 이용하는 건 피하고 집에서 샤워하기! 샤워 뒤에도 흔적이 남아 있는지 잘 점검하기.

어때? 잘 지킬
자신 있지?
그러~엄!
근데 팬티는 엄마가
빨아 주면 안 될까?
나
누구게?
안 되겠는데?
교육상 절대
사양이다.
좋아, 그럼 네 엄마
자리도 사표 내지
뭐.
그럼 나도 엄마랑
목욕탕 가는 거
절대 사양이야!
안 말려요,
아·줌·마!
아줌

생리대의 종류와 사용법

팬티에 붙여 쓰는 생리대

생리대는 테이프가 붙어 있는 부분을 떼어 내고 그 부분을 팬티에 붙여 쓰면 됩니다. 생리대는 양이 적을 때 쓰는 팬티라이너, 보통 낮에 사용하는 생리대, 밤에 잠잘 때 사용하는 나이트용, 또한 옆으로 생리혈이 흐르는 것을 방지하기 위한 날개 달린 생리대도 있습니다.

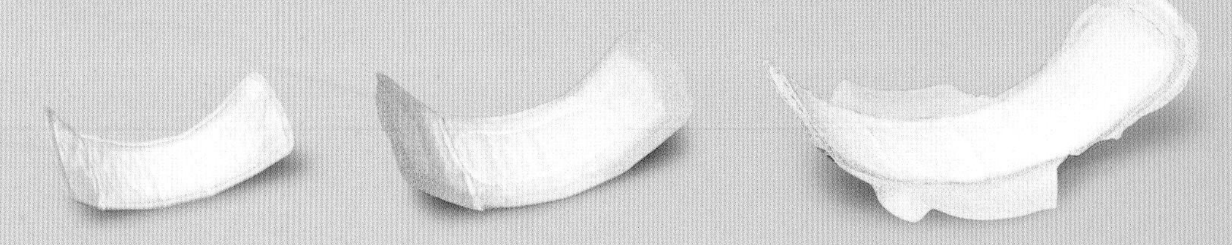

팬티라이너 **일반형** **날개 달린 나이트용**

질 속에 넣는 탐폰

탐폰은 한쪽 끝에 끈이 달려 있고 면으로 된 솜이 단단하게 뭉쳐 있는 것입니다. 어린이용인 작은 크기, 생리량이 보통일 때 쓰는 중간 크기, 생리량이 많을 때 쓰는 슈퍼 크기 등이 있어 적절하게 사용하면 됩니다. 사용 방법은 손을 깨끗이 씻은 다음 탐폰 끝에 달려 있는 끈을 잡아당기고 검지를 탐폰 밑부분에 대고 천천히 질 속으로 밀어 넣으면 됩니다. 이 때 끈은 꼭 몸 밖으로 나와 있게 해야 합니다. 왜냐하면 탐폰을 꺼낼 때 필요하기 때문이죠.

● 사용 방법

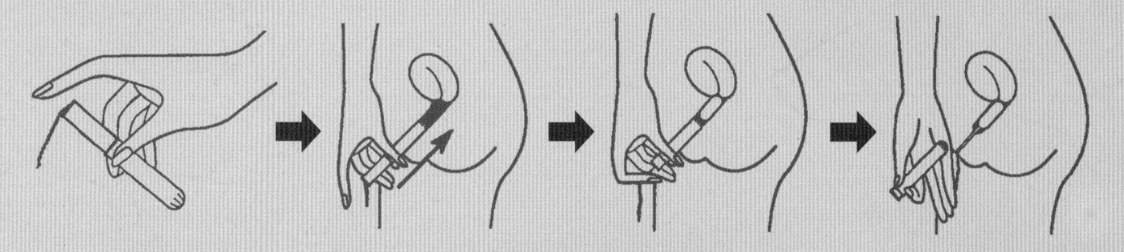

엄지와 중지로 외통의 손잡이 부분을 잡는다.

탐폰을 잡고 있는 엄지가 몸에 닿을 때까지 외통을 살살 돌리면서 검지로 밀어 넣는다.

내통과 외통이 겹쳐져 내통이 더 이상 밀리지 않을 때까지 충분히 밀어 넣는다.

외통을 잡고 빼내면 내통까지 제거된다. 끈은 몸 밖으로 조금 나온 상태가 된다.

여자들의 신체적 변화

앗, 가슴이 커졌어요

또 출장을요?!
이번 중국 출장은 한 달이나 걸릴 텐데 우리 딸 보고 싶어 우짤까나.
출장 길에 선물 하나 안 사다 주시는 구두쇠 아빠면서 뭘~
긴 시간 못 볼 테니 우리 딸 길게 좀 안아 볼…
꺄악~
뭐예요, 아빠! 왜 남의 가슴을 함부로~
네 괴성에 내가 더 놀랐다!
에엥?…

뭣이라?
나… 남?!
띠잉~
……!
아유웅~
몰라요, 몰라!
아니, 저 녀석이
갑자기 왜…
혹시 간밤에 누가
내 딸과 자기 집 딸을
바꿔치기라도
했나?!
당신의 열렬한 팬이
오늘부로 날아간 것
같은데, 안됐수~
훨훨~

글쎄 아빠가 날 안다가
손이 가슴에 닿았는데
나도 모르게 비명을
질렀다니까.
비명씩이나?!

야~, 쟤들
또 뭉쳐 있다!
오홋! 잘됐구려.

엊그제의 쓴잔을
되돌려 줄 찬스
같지 않냐?
크흐흐
좋지.

웬
풍선 선물?
우리한테
왜 이걸…?
잘 지내 보자
뭐~ 그런 거지.
고럼고럼~
낙서 하지마!
혹시 무슨
꿍꿍이가…?
설마!
팡
엄마야!
설마가 사람
잡는댔지, 아마?!
뭐?…
바로 요렇게.
톡
팡

와! 드디어 눈물 공주
눈에 고이기 시작한
저 눈물 방울!
완벽한
설욕전이었지?
눈물은 누가~
너무 놀래서…
유쾌 · 상쾌 · 통쾌
하도다! 흐히히~
으악~
아악~
어유, 고소해.
어디서 참기름
짜남?
억울하면 선생님께
고해 바치셔!

도… 돌았냐?
일러 봤자…
아항! 그래도
너희 죄를 너희가
아는구나.
방금 것의
두 배 큰 신발로 맞기
뿐이 더 하겠냐?!
잘 했어
오몽이!

아! 남자애들
없는 나라에서
살고 싶어!
근데 나루야,
나 요새 찌릿찌릿
가슴이 아프다?

아무래도 금속으로
된 가슴 보호대라도
해야 할까 봐.
뭐에
닿아도
끄떡없는
브래지어로?!
정말! 그런 거로
바꾸면 좋겠다.
바꿔? 넌 언제
부터 했니?

작년부터! 근데
넌 아직도?!
으응~
몸의 성숙은
정신 연령순이
아닌가 보네.
안 그러니?
애기 같은
눈물 공주님?!
뭐야?
너까지!
고로 친구와 웬수는
백지 한 장 차이지!
오잉?
어마앗~ 이번엔
무지개 링이네.
와! 혹시
현실과 환상의 세계도
백지 한 장 차이?
어쩌면
그럴 수도!

요정과 인간의 차이도 그 정도의 차이?!
고만~ 공부나 합시다!
너 가슴이 찌릿거린댔지?
딴청

에엣?…
푸훗…

가슴이 찌릿찌릿 자꾸 아파요!

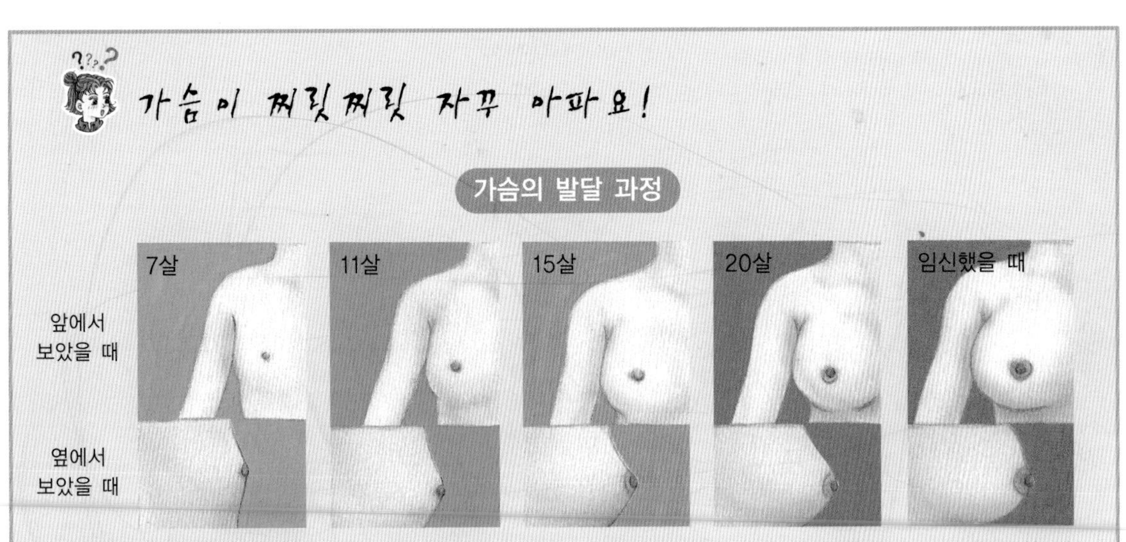

사춘기 무렵의 소녀들은 여성 호르몬의 작용으로 젖가슴이 봉긋하게 부풀어오릅니다. 이 때 젖멍울이 서게 되면서 찌릿찌릿 아프게 돼요. 하지만 가슴이 조금씩 커지면서 생기는 현상이니까 염려할 건 없어요. 이 때는 누군가 실수로 툭 치기만 해도 엄청 아플 수가 있어요. 그러나 이담에 엄마가 되었을 때 그 안에서 아기가 먹을 젖이 나온다고 생각해 봐요. 남자에게는 없는 참 신기하고도 소중한 보물로 여겨지지 않나요?

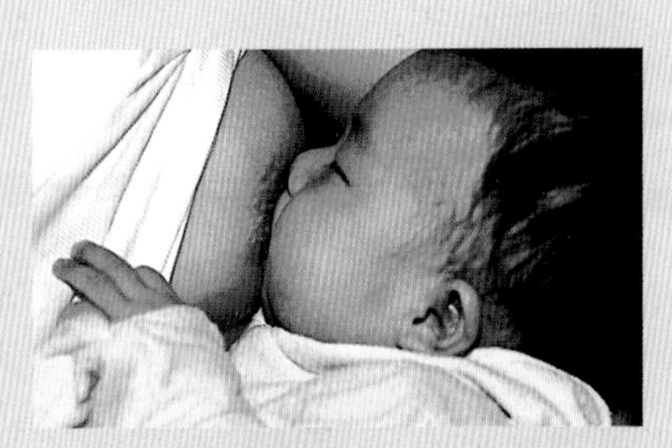

엄마의 젖을 빨고 있는 아기

속옷이 아름다운 이들
고모!

고모야~
누가 왔게?
어? 몽이 네가
웬일이냐?

엄마가 고모한테
가서 공짜 브래지어
챙겨 오래서…
공짜 좋아하다
머리 벗겨질까 심히
걱정된다고 전해라.

꼭 전할게!
그래도 제일
예쁘고 최고 비싼
걸로 골라 줄 거지?

기왕이면 요일별로
하나씩…. 히히~
그 엄마에
그 딸이군!

앞의 숫자는 언더
바스트 사이즈고
뒤의 영문은 컵의
표시야.
아! A컵 B컵
하는 거?

그런데
언더 바스트란
게 뭔데?
아래를 보세요,
숙녀님!!

바스트와 컵이 뭐예요?

브래지어는 가슴의 예쁜 맵시를 위해 착용하기도
하지만 가슴을 잘 보호하기 위한 것입니다. 따라서
좀더 편하고 예쁜 모습이 되기 위해서는 자기 가슴의
정확한 모양과 사이즈를 알아야 합니다.

나에게 맞는 브래지어 구입하는 방법

줄자로 젖가슴의 가장 높은 부분을 잽니다.
이것을 톱 바스트라 하고,
젖가슴 바로 밑의 가슴둘레를 언더 바스트라고 합니다.
보통 톱 바스트와 언더 바스트의 차이가
5cm 내외인 사람은 AA컵,
7.5cm 내외이면 A컵, 10cm 내외이면 B컵,
12.5cm 내외이면 C컵을 착용하는 게 좋습니다.
가령 언더 바스트가 70cm이고 톱 바스트가 75cm인
사람은 70AA컵의 브래지어를 선택하면 되지요.

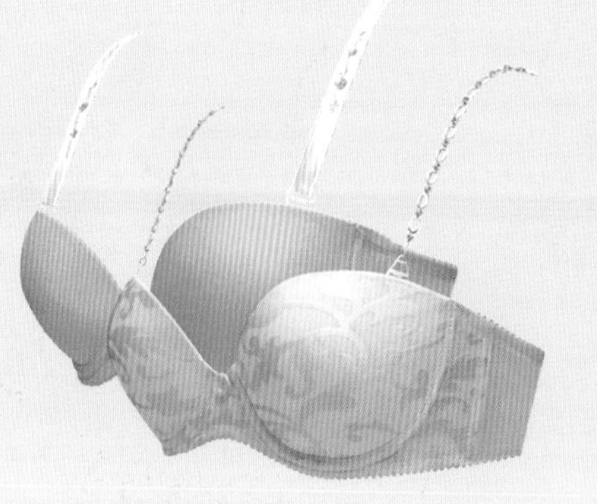

덤으로 오늘 예쁜
란제리까지 착용한
오몽이 양!
기분이 어떠셔?
히~ 조금
답답한 것 같기도
하고 왠지…

어른이 된 것
같아 으쓱한 기분도
들지?
딱 맞아! 고모는
어쩜 내 맘을 그리도
잘 아실까?

정말이지 갑자기
쑤욱 커 버린 느낌…
뭔가 좀 불안하면서도
왠지 설레는 묘한
기분!
이제 내 몸을
소중히 여겨야 할
이유를 조금은 알
것 같아!

성폭력 주의

내 몸의 주인은 바로 나!

음악학원

야~
거기 잠깐!
휴지는 나에게..

앗!
저 사람은…
엊그제 학원 계단에서 바이올린부 영현 언니랑 말다툼했던 바로 그…
날 보자마자 '야, 빨리 지나가!' 라고 무섭게 소리쳤던 바로 그 사람…

여기 원장님 어디
계신지 너 아니?
설레
설레

야! 너 말
못하냐?
……!!
움찔

날 쏘아보던
눈초리가
너무 매서웠어.
기분 나쁘게…

안됐군!
홱
뭐야…
완전 제멋대로잖아.
저런 사람 정말 싫어…

피아노 레슨2호실
아직도 머엉~
…….

그럼 소인은 이만 신속히 물러가겠나이다.
주남규, 너 고2 맞냐?

그렇게 판판이 놀고도 대학 문턱을 넘을 수 있겠냐구~
아휴, 큰누난 날이 갈수록 잔소리만 느는 거 알아?

어엇? 너 말 못 하는 거 아니었냐?

아! 나루야~

네? 네… 원장 선생님!

남규 너,
무슨 그런
실례의 말을…
근데 왜 아깐 도리
도리만 했지?
못됐어.
정말 기분 나쁜
사람이야.
봐! 역시 말을
안 하잖아?!
나루는 원래 수줍음이
많아서 그래. 게다가 네가
워낙에 불량해 보이니까!
오잉?
야, 정말이냐?
내가 불량해 보여?
네!

히야~ 얘가 은근히
날 놀려먹네.
탁
어맛~
쿠당
어머나! 나루야
괜찮니?
····네에···
얼레? 그 정도로
넘어가다니···
약골이군!
뭐 저런 사람이
다 있담.
웃겨 정말!
남규 너~!
어이쿠~
엉덩이 걷어채기
전에 재빨리
줄행랑을···

아참! 나루야,
오늘 김 선생님이 급한
일이 있어 좀 늦으실 거야.
혼자 연습하고 있으렴.
…네.
피아노 레슨 2호실
후아~
아직도…
나쁜 기분이
사라지질 않네.
와, 선생님이 안
계서도 착하게 연습
잘하고 있…
아니, 잠깐 쉬고
있군.
아…
안녕하세요?
어어, 그래.
이쁜 얼굴처럼
인사도 잘하는구나.
탁

어디 연주 실력
좀 보여 줄래?
하지만 전
아직 잘하질
못하는데…

어유, 겸손해
할 줄도 알고.
자, 수줍어 말고
어디 한번…
움찔

이런, 어깨를
떨고 있구나.
우욱… 목 뒤로
느껴지는 더운
입김… 으으
싫어…

원장님,
여기 계시……
?!!
벌컥
..뭐·야·?!

웃! 가슴에 손이?
설마…, 그냥 실수로
닿았을 뿐일 거야.
실수로…

누…
누구야, 넌?!
그러는 댁은
누구시죠?
나… 나야 여기
학원 원무를 보는…
하… 그래요?!
문 앞에 분명히
피아노 레슨 2호실이라고
적혀 있던데…
피아노 교습과
추행 실습까지 겸하고
계셨습니까?
뭐? 추, 추행이라니…
이 자식이 무슨 괴상한
상상을…
삘 삘

괴상한 행동이란
건 아시나 보군요.

이자식이
정말~
턱
지금 이대로
저 문을 나가
원장실에 사표를
써 놓고 사라지는
것이 어때요?

이…
이자식이…
홱
…머…
엉…
그 괴상한 취미 깨끗이
버리기 전엔
우씨~
이 근처엔 얼씬거리지
않는 게 좋을 겁니다.

타당
…….
……!!
크… 참
웃기는 일이군.
넌 거부할 줄도
몰라? 왜 뿌리치지도
못하냐구!
왜 싫다고
소리치지도 못하냔
말야. 이 바보야!
야! 그렇게
겁먹은 눈만 껌벅거리고
있으면 다냐?
깜짝이야~

하… 하지만
별…일 아닌 건지도
모르고…
뭐야?
으아~
돌겠네, 이거.
미안…해요.
미안해? 나한테?
너 자신에겐
미안하지 않구?
모… 몰라요~
그냥 빨리 집에 가고
싶단 말예요.
털썩
와, 진짜
미치겠네~
야~제발
울지는 마라, 엉?!
제발 어서 뚝, 뚝!
뚝
이쯤에서 내가
살짝 끼여드는 게
좋겠지?!

아는 사람이 더 무섭다고요?

성폭력은 결코 남의 일이 아닙니다. 생각보다
아주 가까운 곳에 검은손이 숨어 있으니까요.
혼자 있을 때 잘 아는 사람이 다가와 어쩐지 납득하기
어려운 행동을 하거나 좀 이상한 느낌이 들면,
'설마, 설마!' 만 하지 말고 '혹시?' 하는
의심을 가져볼 필요가 있어요.
성폭력상담소나 여성개발원 등의 조사 결과를 보면,
잘 모르는 사람보단 잘 알고 지내던 사람에게서
성폭력을 당하는 경우가 더 많다고 합니다. 놀랍게도
그 피해자로 어린이들의 비중이 점점 늘고 있고요.
따라서 평소에 아는 사람이 갑자기 으슥한 데로
데려가거나 몸을 만지는 등 이상한 태도를 보이면 즉시
큰소리로 '싫어요! 내 몸에 손대지 마세요!' 라고
의사 표현을 분명히 하세요. 그리고 얼른 그
자릴 벗어나도록 하세요.

2002년 상반기 성폭력 피해 상담 현황

성폭력이란?
여자든 남자든 상대방이 원치 않는데도 강제로 상대방을 성적으로 학대하는 것이다. 강간뿐만 아니라 성추행(가슴, 엉덩이, 성기 부위를 접촉하거나 문지르기, 키스, 성기를 노출시키는 것), 성희롱(상대방의 몸을 흘끔흘끔 쳐다보거나 성과 관련된 야한 농담을 하는 것) 등 신체적, 언어적, 정신적 폭력을 모두 포함하는 것이다.

자료 : 한국성폭력상담소

야, 안 되겠다.
너 같은 울보 겁쟁이는
나 같은… 아! 근데 너
이름이 뭐랬더라?!
나루…
강나루요.
나루… 너
나 같은 오라비
있냐?
아뇨, 없어요.
좋아, 그럼 당분간
내가 네 오라비 대신이다.
무슨 일 있으면 SOS
쳐라, 알았냐?
네….
아참! 우리 누난
어디… 원장실엔
없던데~
몰라요, 난~

하, 내 정신 좀 봐. 용돈 타내는 데 눈이 멀어 정작 중요한 건 빼먹었네.
아까와는 전혀 다른 아주 착해 보이는 모습.
SOS 치라고 했으니 연락망을 알려 줘야겠지?
0115
자, 여기.
0115-85110
…….
난 그럼, 간다~
저… 저기요, 정말 전화해도 돼요?
인마! 넌 속고만 살았냐?

이상해. 첨 봤을 땐
아주 싫은 느낌이었는데…
나 어느새 압도당한 거야?!
왠지 정말로 든든한 후원자를
얻은 듯한 흡족한 기분이 드네!
남규 오빠! 그래, 이제부턴
이렇게 불러야지.

놀란 가슴은 벌써 진정이 다 된 거야?
깜짝

앗! 다 보고 있었어?
왜, 못 볼 일이라도 있었어?

저기, 나 남규 오빠 탁 믿어도…
되지 않을까?
풋… 글쎄?!

사실, 괴상한 짓을
일삼는 남자들은
그리 많지 않아.
하지만

서로에게 확실한
믿음이 생길 때까진
어느 정도 경계심이나
긴장감은 갖고 있는
게 좋아!
도대체 왜
그렇게까지 경계를
해야만 하지?

남자들 속은

가끔 남자의 성기는 뻣뻣해지면서 커져요

남자들은 일단 몸에서 정자를 만들게 되는 사춘기 이후엔 남성 호르몬이 강하게 작용하기 때문에 성충동을 느끼게 됩니다. 특히 야한 사진이나 키스하는 장면을 보면 대뇌의 신경이 척수에 전달되면서 자기도 모르게 흥분하게 되지요. 그러면 성기가 커지면서 뻣뻣하게 곤두서는 발기 현상이 생기게 됩니다. 그리고 실제로 이성에게 몸을 접촉하고 키스나 성관계를 해 보고 싶은 충동을 느끼게 됩니다. 이것은 지극히 자연적인 현상이지만 이것을 이성적으로 다스리고 스스로 조절할 수 있어야 합니다. 가끔 스스로 자제 못하는 남자들이 강간과 폭행을 일삼아서 사회적인 문제가 되는 것입니다.

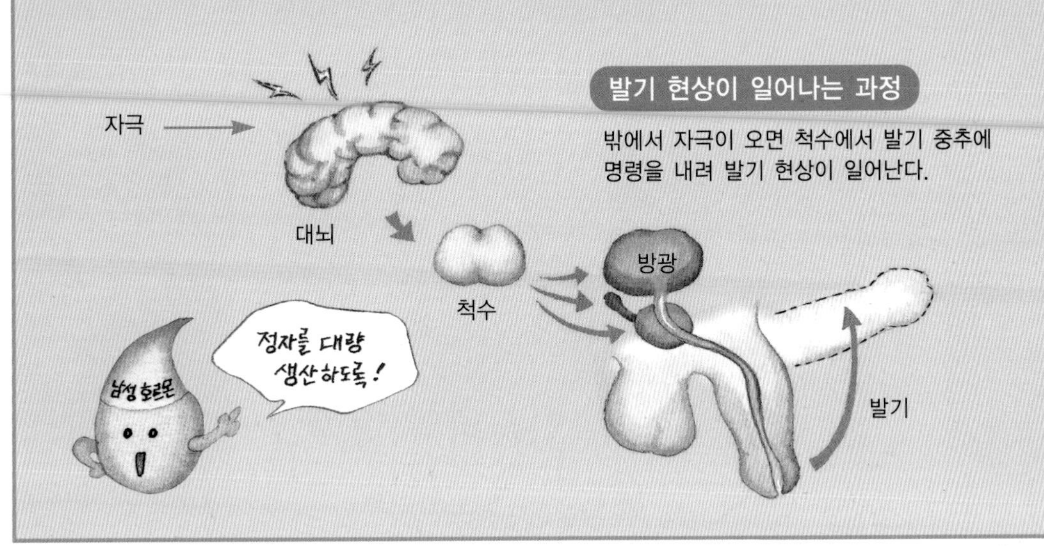

발기 현상이 일어나는 과정
밖에서 자극이 오면 척수에서 발기 중추에
명령을 내려 발기 현상이 일어난다.

정자를 대량
생산하도록!

앗! 저 사람이
여자를 덮치려고…
어디 어디?
살금
어머나?!
놀랬잖아~
자기야!
놀래키는 데
성공이다!
자기야~
라는데?
칫, 웬 자기?
보자기, 도자기
사촌쯤 되남.
크흐~…
주절
주절
괜한 도자기 타령
관두고 저쪽이나
보셔.

곳곳에 도사린 유혹의 손길과 그 대처 방법

1

공원에서 또는 거리에서 낯선 남자가
추근거릴 땐, 말 상대를 하지 마세요!
못 들은 척 무시하고 얼른 자리를
피하는 게 좋아요.

야-너 귀 막혔냐?
지금은 막았음!

2

혼자 거리를 걷고 있을 때 '얘, 너 광고 한번 찍어 볼래?' '난 ○○소녀 잡지 기잔데 너 표지 모델 해 볼래?' 하는 따위의 솔깃한 말로 접근해 오는 치한도 있어요. 덜컥 믿고 따라가면 안 됩니다. 거절을 해도 계속 따라붙는다면 명함만 받고 얼른 그 자릴 벗어나도록 하세요!

아빠랑 의논해 볼게요.

의논은 곤란한데…

3

늦은 밤에 어둡고 으슥한 길을 혼자 다니는 건 치한의 목표물이 되기 쉬운 위험 요소라는 것을 기억하세요!

꺄악~ 뭐예욧?
뭐긴~
나한테 딱 걸린거징~

4

느닷없이 낯선 이가 찾아와 '네 아빠가 교통 사고가 났으니 빨리 병원에 같이 가 보자'는 식의 충격적인 말로 유인하는 경우도 있어요. 너무 놀란 나머지 무작정 따라가기 쉬운데 그럴 땐 마음을 가다듬고 어떤 핑계든 대고 일단 자리를 옮긴 뒤, 집에 확인 전화를 하는 게 급선무입니다!

5

모르는 사람이 차를 세우고 '와, 너 못 본 새 많이 컸구나, 반갑다' 하며 친한 척 차에 태우려 드는 경우도 있습니다. 차에 탄다는 건 도망칠 수 없는 창고에 갇히는 것과 마찬가지예요. '괜찮아요' 따위의 미지근한 대응 보다는 단호하게 거절을 하고 무조건 반대 방향이나 사람 많은 곳으로 뛰도록 하세요!

6

엘리베이터에서든 집에서든 다른 남자와 단둘이 있는 상황을 만들지 마세요! 엘리베이터를 탔는데 어쩌다 보니 둘만 남았다면 일단 내린 뒤 다시 타도록 하세요! 집에 혼자 있을 때, 낯선 사람은 물론 옆집 오빠나 아저씨가 찾아왔을 때도 집안에는 들어오게 하지 마세요!

7
남자가 혼자 있는 방(특히 밤에는)에 혼자 들어가는 일이 없도록 하세요!
심부름이나 볼일이 있어도 문밖에서 해결하고 돌아오도록 하세요!
좀 들어오지 그러냐?!
아녜요! 그럼 이만…
8
장난 전화, 음란성 전화가 왔을 때 말 상대를 해 주는 건 금물!
계속 전화를 걸어 괴롭힐 수도 있고 집을 찾아내 찾아올 수도 있으니까요.
그냥 끊거나 어른을 바꿔 혼을 내주도록 하세요!
몇 살요? 스무 살 꽃띠 인데용~
크큭…
옳거니, 얘가 절 가지고 노세용.. 하네~

성추행이나 폭행의 위험에 처했을 땐

지하철이나 버스 안 등 사람들이 북적이는 곳에서 누군가가 가슴이나 엉덩이를 슬슬 만지거나 일부러 몸을 밀착시키는 등 성추행을 할 땐 '무슨 짓이에요! 저리 가!' 하고 큰소리로 당당하게 외치세요.

그런 자들은 대개 창피를 당해야 슬금슬금 자릴 뜨는 한심한 사람에 불과하니까 겁먹지 마세요. 만약 저항했는데도 계속 그런 짓을 하려 든다면 날카로운 핀 같은 것으로 쿡 찌르거나 남자의 급소인 정소를 힘껏 걷어차고 재빨리 달아나도록 하세요!

남자가 가격당했을 때 가장 아파하는 곳은 정소라는 것을 기억하세요!

불행히도 성폭력을 당했다면…

반드시 부모님께 알려야 합니다. 그렇지 않으면 꼭 필요한 신체적 · 정신적 치료를 받을 수 없게 되어 더 심각한 결과를 가져오게 되니까요. 피해를 당한 것은 단지 원치 않는 사고를 당한 것일 뿐 피해를 입은 사람이 수치심이나 죄의식으로 고통받아야 할 일이 절대 아닙니다. 하지만 가해자는 처벌을 받아야 마땅한 일이므로 개인적인 대응보다는 전문적으로 처리하는 기관에 도움을 청하는 게 좋습니다.

성폭력 피해 신고 이렇게 하세요

1. 성폭력을 당했던 장소, 날짜, 시간과 가해자의 얼굴과 옷차림 등을 기록해 둡니다.
2. 되도록 빨리(최소한 72시간 이내) 산부인과에 가서 증거 채취, 성병 감염, 임신 여부 확인 및 예방 조치를 합니다.
3. 피해 당시 입었던 옷은 증거 자료가 되기 때문에 세탁하지 말고 종이 봉투에 보관합니다.
4. 성폭력 전문 상담 기관을 통해 심리적 회복을 위한 상담과 의료, 법률적 대응 등의 도움을 받도록 합니다.
5. 여성 상담실 경찰관(해당국번 + 0118)에게 전화를 하면 상담을 거쳐 고소 절차 안내를 받을 수 있습니다.

- **긴급 상담 전화 번호**
  1366(여성부)
  1388(청소년보호위원회)
  1588-0924(문화관광부)

울 아빠랑, 삼촌들, 우리 선생님들은 빼고…
남규 오빠도 빼 줄까?
압!!
와! 어느새 그가 뇌리 속에 쏘옥~!?
쏘옥 들어앉긴 뭐가! 아니야!
확실히 들어 앉았네 뭐. 괜찮아!
아니, 정말 아니라니까!
아니지 않아도 괜찮다니까.
에..에?!

남자들의 심리

자, 항공 우편물
갑니다~ 에엥~
이게 뭐야?!
깜짝
봉두석이 보내는
러브레터 같은데
펴 보셔!
뭐가
뭔데?
탁
펴지 마, 몽이야.
또 무슨 이상한
장난일 거야.
뭐라고 방정을
떨었는지 구경이나
해 주지 뭐.
불안하다,
왠지…
엄마얏~

크큭…
왜? 너무 뜨거워서 손이 라도 데었냐?
으윽~ 저질들!
뭔데 그…
어맛!
꾸깃,
너희들 수준을 잘 알았다.
탁
웃~ 뭐냐…뭐?
무끈~ 수취거절…
…반송우편물 이지잉~
정말이지 징그런 애들이야.
신경 끄자, 까짓, 신경 쓸 가치도 없다구.

뭐 저렇게
얼굴 두꺼운 애가
다 있냐?
그러게!
부끄럼도 안 타고~
야~
부끄러워할 건
너희들이지
내가 아냐!
내 말 틀려?
그… 글쎄.
맞남~
찌익이다~
엄마! 엄마~
몽룡이
집에 있어?
하아
아직 안
왔는데 왜?

응? 아니…
뭐 그냥…
잘됐다!
요참에 수색 작전을
펼쳐 봐야지.

노칠구, 봉두석
녀석들처럼 이상한
사진 같은 거…
오몽룡 둥지
탁

꽁꽁 숨겨
두고 있을지
모르니까…

오잇?
문제집을 왜
침대 밑에…

오 마이 갓~

다녀왔습니다~
깜짝

어? 네가 왜 내 방에서 나오냐?
오몽룡, 너 방에서 이상한 거 키우더라?!

뜨끔
뭘 키우는데… 혹시 강아지를?
그건 엄마가 결사 반대하시면서 뭘~

당연하지. 애완 동물이 왜 필요해?
세상에서 젤루 사랑스런 애완 동물인 아들딸이 있는데~

엄마의 그 애완 동물 중 하나가 징그런 동물인 건 모르실걸?!
바로 얌전이 몽룡이가~
내… 내가 뭐… 뭘?!
밑도 끝도 없이 그게 무슨 소리야?
그리고 너! 몽룡이더러 오빠라고 부르랬지?!
어휴~ 웬 오빠? 15분짜리 오빠도 다 있남~
15분 차이 쌍둥이래도 확실한 서열이 있어야 한단 말이다.
옳으신 말씀!
왜… 왜 그래, 너!
스윽~
우리 진짜 쌍둥이 맞어? 닮은 데도 거의 없는 것 같은데!

글쎄 그러네.
둘 중 하난 육교
밑에서 주워
왔던가?
아항
아항…
이라니?

그렇담, 우리 식구
중 유일한 얌전이인
네가?!
조용~ 잘 듣거라.
내 소생들아!

쌍둥이는 어떻게 생겨요?

쌍둥이는 일란성과 이란성이 있습니다. 보통의 경우 난자는 왼쪽, 오른쪽 어느 한쪽의 난소에서 단 하나만 배란되기 때문에 정자와 난자가 결합된 수정란은 하나밖에 없습니다.

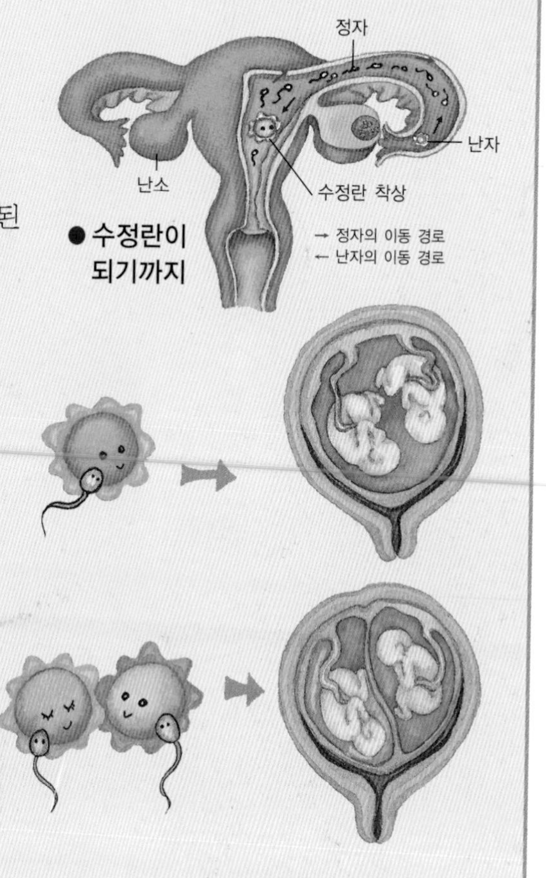

일란성 쌍생아

한 개의 수정란이 수정 도중에 둘로 나누어져 따로따로 분열하여 두 개체로 자라기 때문에 반드시 동성입니다. 여아는 여아끼리, 남아는 남아끼리 말이죠.

이란성 쌍생아

아주 드물게, 두 개의 난자가 배란되어 두 개의 정자와 각각 수정되어 발육한 것이기 때문에 얼굴도 다르고 성도 다르게 태어나는 경우가 많습니다.

그건 그렇다쳐도,
몽룡이가 여자애 같은
건 혹시 여자애가
되려다가…
뭐?
몽이 너야말로
신의 실수로 여자애로
바뀐 게 아닌가 몰라~

어유, 꼭 엄만
몽룡이 편만
들더라. 그러지
않으면 엄마가
아니지!

안 그래요?
몽룡이 엄마!
역시 오몽이
몸 속엔 의학적으로
아직 발견 안 된
심통 호르몬 같은
게 있는 것 같군!
심하다잉~
흐으~
그 입들 오무리고
계속 들어 봐!

멋진 남자, 멋진 여자

태어나면서부터 남자와 여자는 모두 양성의 호르몬을 갖고 있는데, 사춘기가 되면서부터 남자는 정소에서 남성 호르몬이, 여자는 난소에서 여성 호르몬이 많이 분비됩니다. 그래서 남잔 남자답게, 여잔 여자답게 성장해 가는 것이죠.
하지만 사람마다 키의 차이, 골격의 차이가 있듯이, 호르몬의 분비에도 개인차가 있습니다.
여자라도 남성 호르몬이, 남자라도 여성 호르몬이 꽤 많이 분비되는 사람들이 있어요! 때문에 여자 같은 모습의 남자, 남자 같은 모습의 여자도 있는 것입니다.

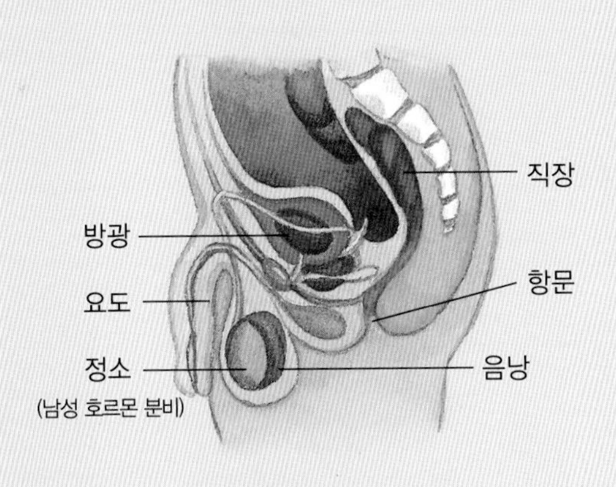

● 남자의 생식기

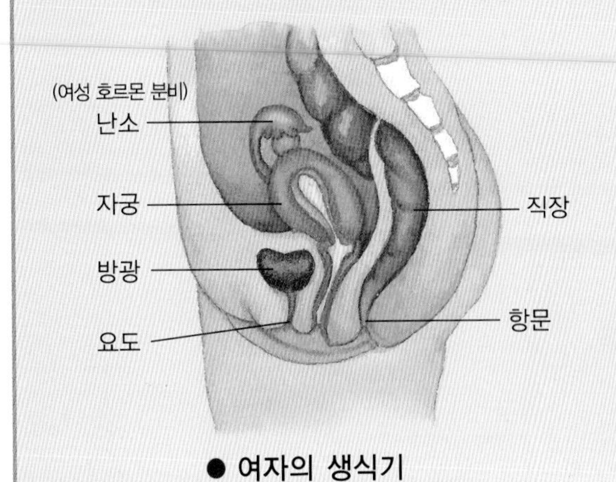

● 여자의 생식기

환경의 영향

또한 성장 환경과 사회적 환경의 영향으로 여자의 성향을 가진 남자, 남자의 성향을 가진 여자가 많아지고 있어요.

개성 시대

하지만 요즘엔 이런 양성적인 남녀가 특별한 개성파로 여겨지지 않나요?
억지로 여자다워지려고, 또는 남자다워지려고 애쓸 필요 없이 각자 개성대로, 지금 모습 그대로를 존중하고 사랑하는 게 자기 매력을 가꾸어 가는 길이 아닐까 싶네요.

아! 궁금한 게
또 있다!
뭔데?
장난꾼 엄마
몸 속에도 아직 발견
안 된 이상 호르몬이
있지 않을까?!
~ 또한
폭력성 호르몬
까지…
잠깐, 먼저
보낼 애는 몽룡
이라구. 나랑
단독 면담
좀…
몽룡 엄만 그럼
이만 퇴장한다.
남의 집 딸아!
턱
뭔데, 나만
빼고…
오몽룡 씨는
순순히 빠져
주셔~
그래, 빠져
준다 뭐…
땡큐다!
엄만 잠깐
내 방으로…

에엣? 몽룡이
방에서 요상한
사진이?!
몽이네 오두막
노크 안 하면
취침중
조용!

어라? 남자애들
사춘기는 여자애들
보다 좀 늦게
오는데?!
그렇다니까!
인터넷에서 뽑아
낸 것 같던데?!
몽룡인
의외로 빠르네~

아빠 출장에서
돌아오시는 대로
특별 면담 좀 하시라
해야겠군!
단지 그냥 빠르네
뿐이야? 역시 엄만
강자셔~

대체 왜 남자들은
그딴 걸 보는 거지?
징그러운
저질들이야,
정말~
흐음,
입 다물고 계속
들어 봐~ 그러시려구?
엉!?…이이잉…

사춘기가 되면 남자와 여자 이렇게 달라진다

남자

남자의 정소에선 정자를 만드는 일과 남성 호르몬을 분비하는 일을 합니다. 이 남성 호르몬의 영향으로 근육이 발달하면서 떡 벌어진 체격, 겨드랑이 털, 수염, 음모(성기 주위의 털)가 생겨나고 페니스(음경)도 커지게 되지요.

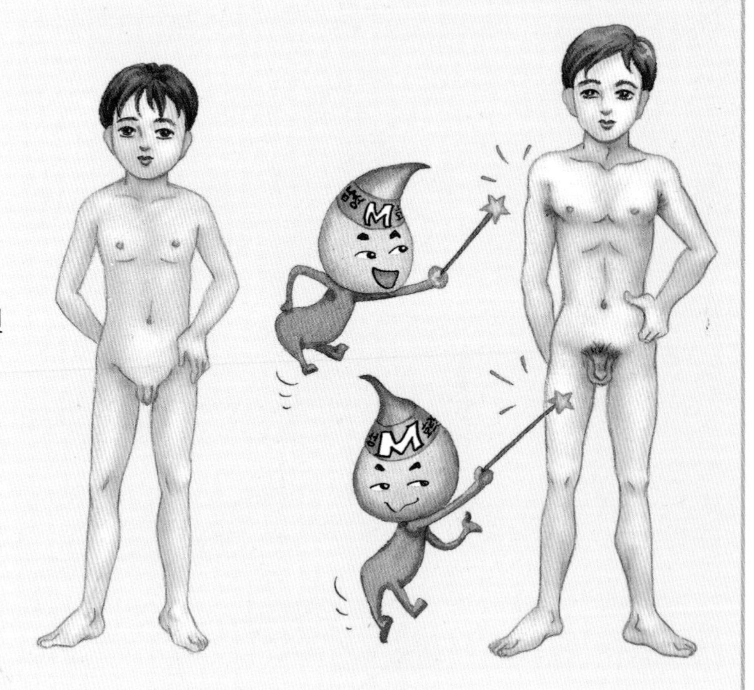

여자

여자의 난소는 난자를 성숙시키는 일과 여성 호르몬을 분비하는 일을 합니다. 이 여성 호르몬의 영향으로 월경이 시작되고 겨드랑이 털과 음모가 생겨나며, 젖가슴이 봉긋해지고, 엉덩이도 도톰해지는 등 곡선적인 몸매가 되어 가지요.

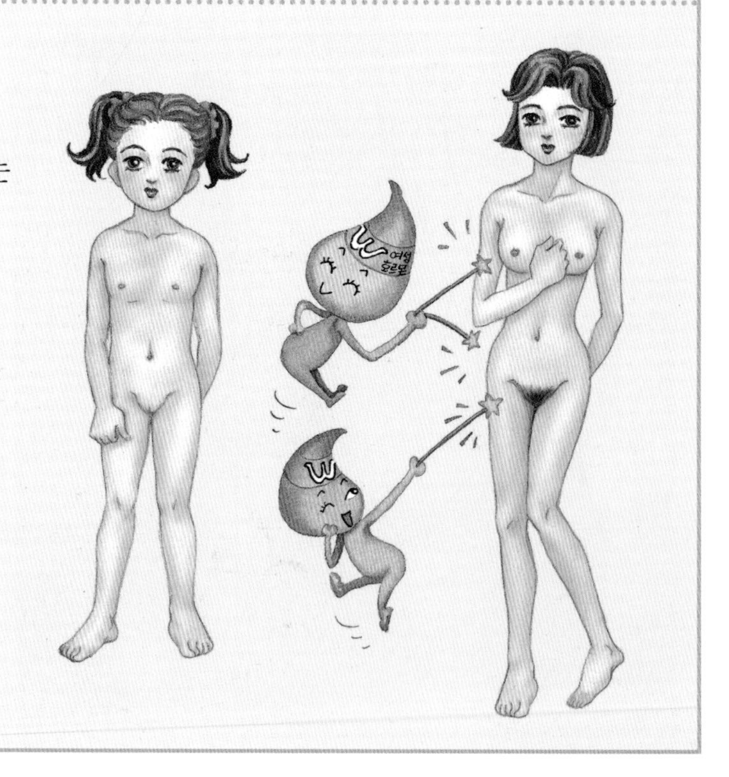

몽정과 성몽의 차이

남자

남자의 정소에선 매일 엄청난 수의 정자가 만들어집니다. 밤에 자다가 성기를 건드리거나 야한 사진을 보고 잠이 들거나 하면 자기도 모르게 정액(정자가 들어 있는 액체)이 성기 밖으로 배출되는데 이것을 '몽정' 이라고 합니다!

여자

여자는 한 달에 단 하나의 난자를 만들어 낼 뿐이고 남자처럼 쏟아낼 정액도 없어 몽정은 없습니다. 하지만 여자도 성적인 꿈을 꾸다가 쾌감(오르가즘)을 경험할 때가 있는데 이것을 '성몽' 이라고 합니다.

남자는 야한 사진을 보는 것만으로도 피가 성기 속에 가득 차 발기하게 됩니다. 발기했을 때 계속 자극을 받으면 사정이 일어나는데, 이 때 아주 짜릿한 쾌감을 경험하게 되지요. 남자가 야한 사진을 자꾸 보고 싶어하는 이유가 바로 여기에 있지요.

여자도 남자처럼 야한 걸 즐깁니다. 하지만 여자는 남자에 비해 시각적인 자극보다는 분위기에 따라 좌우되는 경향이 많습니다.
남자에 비해 여자의 성적 욕구는 충동적이지 않습니다.

아까 징그럽다고
흉보던 남자애들이
이제 좀 이해되니?
글쎄 뭐…
딩동띵똥~

어? 누구지?

와아~
막냇삼촌!
탕
역시 우리 몽이가
제일 반겨 주는군!

어이, 오몽룡!
삼촌 도로 갈까?
어유,
삼촌은 참~

오늘도 혼자 오신
걸 보니 색시감은
아직도…
예, 아직
못 찾았어요,
형수님!

예엣? 꼬맹이
몽룡이가 벌써… 요?
그러게요.

알았어요.
저한테 맡겨
주십쇼.
짜식, 오늘
딱 걸렸어!

히야~
오랜만에 보는
나의 조카
오몽룡!

그 동안 얼마나
컸나 보자.
돌격이닷!
으앗~
왜 이래요,
삼촌~
흐음~ 요새
음란물의 바다에
빠져 허우적거리는
녀석들이 많다던데…

어때, 나의 조카는
무사하신가?
으… 음란…물…
바다라니요?

짜식~
다 알면서
내숭은~
뭐…
뭐를요~
딱
이 삼촌은
중3 때 처음으로
그런 잡지를
접했었는데!
예엣?
그럼 삼촌도?!
오잉?
그럼 너도?

으흑
간단히 말려들었다~

짜식~ 고개 들고 남자로서 대선배인 이 삼촌 말 좀 들어 봐라.
예… 뭐…

나쁜 짓은 더욱 짜릿하다?

여러분은 인터넷 게임을 하다 보면 어떻습니까?
사람에 따라 차이는 있겠지만 대부분의 사람들은 점점
재미에 빠져 드는 자신을 발견하게 될 것입니다.
인터넷 게임이 현실을 망각하게 하고 스트레스를
풀어 준다고 생각하기 때문에 점점 중독되는 것입니다.
이런 경우 올바른 학교 생활을 할 수 없게 됩니다.

우리를 유혹하는 것들

인터넷 게임뿐만 아니라 인터넷 음란 사이트,
음란 비디오, 음란 만화, 포르노 잡지 등도
우리의 정신을 황폐화시키는 것들이지요.

음란물의 문제점

오로지 흥미만을 위해 성을 아주 변태적이고
자극적인 것으로 상품화한 데에 문제가 있습니다.
그래서 사람들에게 왜곡된 이미지를 갖게 합니다.
처음엔 마약처럼 단순 호기심에서 출발하지만 점점
더 자극적인 것을 찾게 되고 이런 행위들이 일반적인
것인 양 우리의 이성을 마비시켜 버립니다.
애당초 엉뚱한 호기심은 갖지 않도록 노력하세요.

아름다운 성과 사랑을 배워야 할
너희가 오로지 돈만 벌기 위해 장삿속으로
만든 저질 상품에 놀아나는
바보가 되어선 안 돼!
성에 눈을 떴듯, 이제 판단력도
생긴 만큼 그 판단력으로 선택을
해야겠지? 찜찜한 쪽보다는
산뜻하고 현명한 쪽으로!

어떻든? 그런 걸 보고 난 뒤의 기분이?!
아이, 삼촌은… 보긴 뭘 봐요.

욘석이 잘 나가다가 또 발뺌이네.
똑 똑…
삼촌! 과일 들어가요!

그래, 과일만 들어 오는 게 좋을 거다.
어? 그렇게 나오시면 더 끼고 싶어지잖아~

몽룡이 얼굴이 왜 이래요? 너, 볼연지 발랐니?
조용히 나가 줘, 오몽이!
흐흐~ 감 잡았음! 삼촌, 애 확실히 손 좀 봐 줘요!
몽룡아, 밖으로 나가자.
턱
왜…요?
밖으로 나가서 손봐 주려구요?

아니, 둘만의 오붓한 데이트!
뭐야아~
탁 트인 데로 나오니까 기분도 탁 트이는 것 같지?
…….

자위를 하면 머리가 나빠지나요?

남자들은 정자의 생성이 활발해지면서 성적 충동이 생기게 되는데 이 때 정자를 몸 밖으로 쏟아내고 싶어하는 생리적인 현상으로 자위를 하게 됩니다. 이런 행동에 대해서 '머리가 나빠진다. 키가 안 자란다'는 등 근거 없는 얘기가 많습니다. 하지만 이것은 청소년기에 거치는 자연스러운 현상이므로 죄책감을 갖거나 크게 걱정할 문제는 아닙니다. 물론 여자들 중에도 자위를 하는 경우가 있습니다.

습관화되면 좋지 않아요

그러나 자위를 습관적으로 하게 되면 정신적으로 흥분한 상태에 빠지게 되어 몸이 피곤해지고 학업에 지장을 주게 됩니다. 그러니 성충동이 생길 때는 인라인 스케이트나 자전거, 기타 다른 운동으로 해소하는 게 더 유익할 것입니다.

주의할 점

그래도 못 참겠다 싶으면 너무 지나치지 않게 자기만의 기준을 정해 놓으세요. 혹시 병균에 감염되어 염증을 일으킬 수 있으니까 행위 전엔 손을, 후엔 성기를 씻고 속옷 등 뒷처리를 깨끗이 해야 합니다!

뭐야, 땅바닥에
떨어진 동전이라도
찾고 있나?
……
오몽룡!
성병이 어떤 건지는
아느뇨?

에이즈…
말예요?
그래, 성병중에서
가장 무서운 게
그거지!

총알 탄 에이즈

에이즈(AIDS)란 '후천성 면역 결핍증'으로 에이즈균이 인체의 세포 안에 침입하여 면역 세포를 파괴하여 저항력을 완전히 잃게 되는 병입니다. 따라서 감기만 걸려도 폐렴이나 뇌막염으로 커져 결국 죽음에 이르게 되는 무서운 병이지요.

바이러스
윽~
면역세포
감기
폐렴
뇌막염

하지만 에이즈는 다음의 경로를 통해서만 감염되기 때문에 조금만 주의하면 그렇게 염려하지 않아도 됩니다.

에이즈는 이렇게 감염될 수 있어요

① 감염된 사람과의 성관계를 통해서
② 감염된 사람의 피를 수혈해서
③ 마약이나 약물 중독자들이 사용하는 주사기를 함께 사용해서
④ 엄마가 에이즈에 걸려 있으면 태어나는 아기도 감염

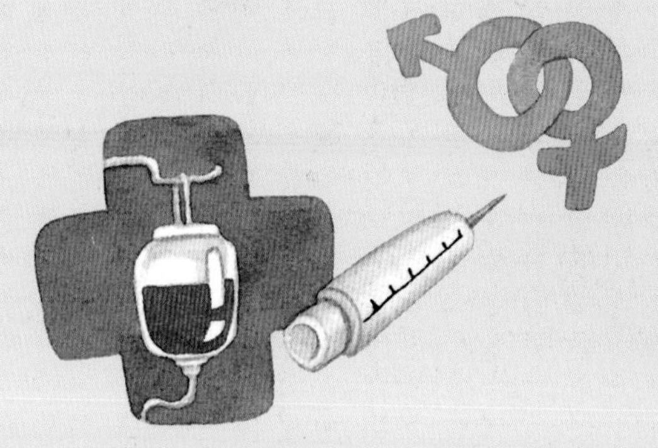

성병의 종류와 증상

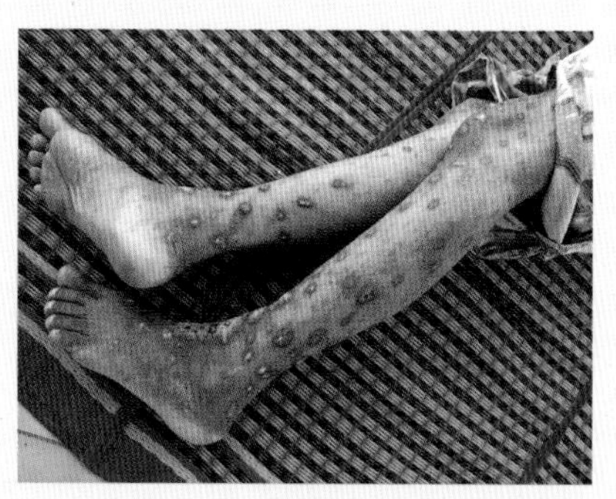

에이즈

감염 초기엔 마른 기침과 미열, 설사, 체중이 줄고 좀더 진행되면 몸 구석구석이 붓고 붉은 반점이 나타납니다.

매독

몸 전체에 피부 발진이 나타나거나 발바닥 손바닥에만 나타날 수도 있고 두통이 생기고 머리카락이 많이 빠집니다. 전염성이 강해 단순한 접촉으로도 전염될 수 있습니다. 잠복기가 있어 완전히 치료하지 않으면 재발이 쉽게 됩니다.

에이즈 환자의 피부

임질

남자는 오줌을 눌 때 불에 덴 것 같은 통증을 느끼며 요도 끝이 발갛게 부어 오르기도 하고 크림색의 고름이 나오기도 합니다. 여자는 뚜렷한 증상은 없지만 진한 노란색 분비물이 나옵니다.

비임균성 요도염

요도 끝에서 노란색 분비물이 나오거나 통증, 가려움증을 느끼게 됩니다. 오줌 눌 때 곤란한 증상이 나타납니다.

호잇?
어… 어디?

이야~
진짜루…

흠! 흐음!
그래서
어쩌라구?
노총각 신세
면해 보시라구요.

쌍으로
폼나게…
으윽~ 제일
아픈 데를
건드리다니…

남자들만의 비밀! 포경 수술

음경의 끝 부분을 귀두라고 하는데 포경 수술은 이 귀두를 덮고 있는 피부를 잘라 내는 수술을 말합니다.

포경의 종류

포경에는 가성 포경과 진성 포경이 있습니다. 진성 포경은 피부가 귀두를 완전히 감싸고 있어서 발기도 어렵고 피부를 잡아당겨도 귀두가 조금밖에 나오지 않는 경우입니다. 가성 포경은 음경이 축 늘어져 있을 때는 귀두를 덮고 있다가 발기하거나 손으로 피부를 잡아당길 때는 벗겨지는 경우를 말합니다. 따라서 포경 수술이 꼭 필요한 것은 진성 포경의 경우입니다. 그러나 가성 포경이라 할지라도 포경 수술을 했을 때와 안 했을 때의 장단점을 생각하여 의사와 상담하여 결정하는 게 좋습니다.

이성에 대한 그리움

자꾸만 보고 싶어요

나루야~

이모가 너 좀
이모 가게로 보내
라던데 갈래?
왜요?

너 입히고 싶은
옷이 들어왔다고,
와서 입어 보란다.
네,
알았어요.

와! 역시
딱 맞네.
제 맘에도
딱 들어요,
이모!
빨리 집에
가서 또 입어
봐야지.

야~ 내 말
안 끝났어.
주남규!
주남규?
혹시
남규 오빠?!
저 목소린…
그래, 영현
언니야!
……!!
난 네 간섭이 싫고
넌 내가 제멋대로라
싫대서 그만 보기로
했는데 또 뭐가 남았지?
그건 홧김에
한 소리란 말야!

네가 그 촌스런 민영이랑 같이 다니는 걸 봤는데 내 머리 꼭지가 안 돌게 생겼니?
민영이? 뭐야, 이제 보니 순바람둥이…
내 교우 관계, 네가 참견할 이유 없을 텐데?!
아직도 장난감이 필요하냐?
잘 가라!
바르르…
깜짝이야…
너, 정말이지 너무하잖아!
앗! 날 보면 안 되는데…

어엇?
너 강나루?!
홱
아앗~
뻘뻘
저… 저기요,
일부러 훔쳐 본
건 아니구…
뭐야 이건, 나루…
강나루잖아!
……!!
하, 웃긴다 주남규!
어느새 요런 풋내기
한테까지 영역을
넓힌 거니?
……!!
어머나?
눈이 큰 아이와 나.
잘 어울리지 않냐?
……!
척

그래!
웃기는 한 쌍의
메뚜기다.
잘해 보셔!
홱
이번엔 내가
남규 오빠 장난감
이에요?
에엣? 가르친
보람이 있네.
바로 그거야!
그렇게
하는 거야!

...머...엉...

오잉? 없네.
이천 원만
빌리자!
용가네 마트
왕창 세일 40%
에에 ?!

좋아! 본의 아니게
널 이용한 건 미안!
......!
사과의 뜻으로
빙과 사 줄게!

어라, 너 같은
얌전이도 얼굴에
묻히면서 먹냐?
묻었어요?
어디…
뭐야, 나… 나
왜 이래? 왜 갑자기
가슴이 콩닥거리는
거지?!
요기…
……!!
자, 그럼 이제
빠이빠이 하고
볼일 있으면
또 보자!
…….
얼레?
이번엔 대답도
안 하냐?
저… 저기요,
영현 언니랑은
정말로… 끝난
거예요?

물론!
그럼 간다~
아! 안심이다.
앗… 뭐가
안심이라는 거야?
웃겼어, 강나루!
볼일 있으면
보자고? 그럼
볼일 없으면!
만날 일
없는 거지!
뭣?!
볼일을 만들면
되거나…
아…!
드디어 환상 같은
사랑에 눈떴네,
강나루!!
사… 사랑…
이라니, 설마!

한번쯤 치르는 마음의 열병

사춘기에 일어나는 변화 중 가장 달콤한 변화는 바로 이성에 대한 관심과 설렘입니다. 특히 여학생인 경우는 또래의 개구쟁이는 유치한 어린애로 보이는 반면, 또래라도 의젓한 남자 친구나 연상의 남학생에게 호감을 갖게 되지요. 호감이 생기고 나서부터는 가슴이 두근거리기도 하고 답답하기도 하면서 하루 종일 그의 생각으로 머릿속이 꽉 채워질지도 몰라요. 마음에 열병이 난 것처럼요.

좀더 친밀해지고 싶어요

또한 이성의 손을 잡거나 좀더 나아가 그의 어깨에 기대고 싶고, 어쩌면 낭만적인 뽀뽀를 기대할지도 몰라요. 남몰래 혼자 좋아하는 상대라도 혼자서는 마음껏 상상의 나래를 펼칠 수 있으니까요. 이런 마음은 아마도 마음의 키, 감성의 키가 훌쩍 자랄 수 있는 아주 특별한 경험이 될 거예요.

....!!
만지작…
볼일을 만들면
되거나…
기다리는
전화 있니?
응? 아니…
아니에요.
깜
짝
뚜르르
혹시
남규 오빠?
아, 이모네….
얼레? 이모라서
실망했다는 소리로
들리는데?

바보같이…
남규 오빤 우리 집
전화 번호도
모르는데…

나루야, 엄마 잠깐
나갔다 온다~.
네~

… 아무도
없지?

후아~ 왜
이렇게 가슴이
뛰는 거야.
대체…
뚜우 뚜우…

여보세요.
압!

어?
장난 전화인가?
앗, 아니
저 나루예요,
강나루!

어, 나루…
웬일이냐?
아, 저기…
그렇게
물으면 말문이
막히잖아.
무슨 나쁜
일이라도? 그래서
SOS 친 거냐?
아! 잊지
않았어!

아니, 저기…
그냥 핸드폰 번호가
맞나 확인해
보려고….
윽~ 무슨
바보 같은
소릴…
으잉?
기회씩이나…
푸하하…
뭐야, 겨우
그거야?
…삘…
사실은…
저번에 빌려 간
빙과값 갚을
기회를 주….
…삘….

괜히 너무
빨리 나왔나?

이렇게 빨리
나온 거 남규 오빠가
알면 또 막 웃어
댈 텐데….

어이, 강나루!
깜짝

받아.
이걸로
빚은 갚은
거다?!
슝-
앗!

어유, 그렇게
갑자기 들이밀면
어떡해요. 빨대에
찔렸잖아요.
요기…
어어~
제법 큰소리도
낼 줄 아네.

너 진전이 너무
빠른 거 아니냐?

빠르다니…
뭐가요?

그거야, 네가
갑자기 용감해지면
네 임시 경호원직도
종쳐야잖냐!
에에?
그렇담
용감해지는 거
절대 사양이야.

그건 농담이구!
에
에
?
찌익

잠깐 잘난 체
좀 할 테니
들어 봐!

의사 표현을 못한다고
내가 화를 냈었지?
하지만 그렇다고
너 자신을 송두리째
바꾸려고 억지로
용쓰진 마!
지난번엔
가르친 보람이
있다더니….

너무 빨리 달리는
자동차가 위태로운 것처럼
너무 빠른 속도로 자신을 바꾸려
했다간 자칫하면 네 자신이 방향을
잃고 우왕좌왕할 수도 있어.

소극적이고 내성적인 성격
때문에 불편을 겪거나 불이익을
당하지 않을 만큼만 서서히
바꿔 나가는 거야. 지금
너의 장점도 제대로
인정해 주면서!

확 바꾼다!
장점

호~ 능력에
넘치게 입을 놀렸더니
되게 쑥스럽군!
확실히
넘쳤나 보네….
…….
…….
따
콩
뭐예요?
갑자기…
아야!
알았다!
닫힌 입엔 꿀밤이
특효약이었군!
어유~
순장난꾸러기.

어~ 여기야,
소민영!
소민영?!
이미 알고
있네요.
아아, 영현 언니가
촌스런 민영이라고
했던 바로 그…!!
안녕! 네가
강나루?
이쪽은 내 친구
소민영.
아, 안녕…
하세요?
까
딱

으음… 정말
커다란 눈망울이
참 예쁜 아이네.
그렇지?
분수대

… 뭐야, 그럼
남규 오빤 내 얘길
이 언니한테 했단
얘기잖아.

절 아세요?
글쎄…
강나루라는 이름과
남규 보호망 안에
있다는 것 정도만…
뾰로통

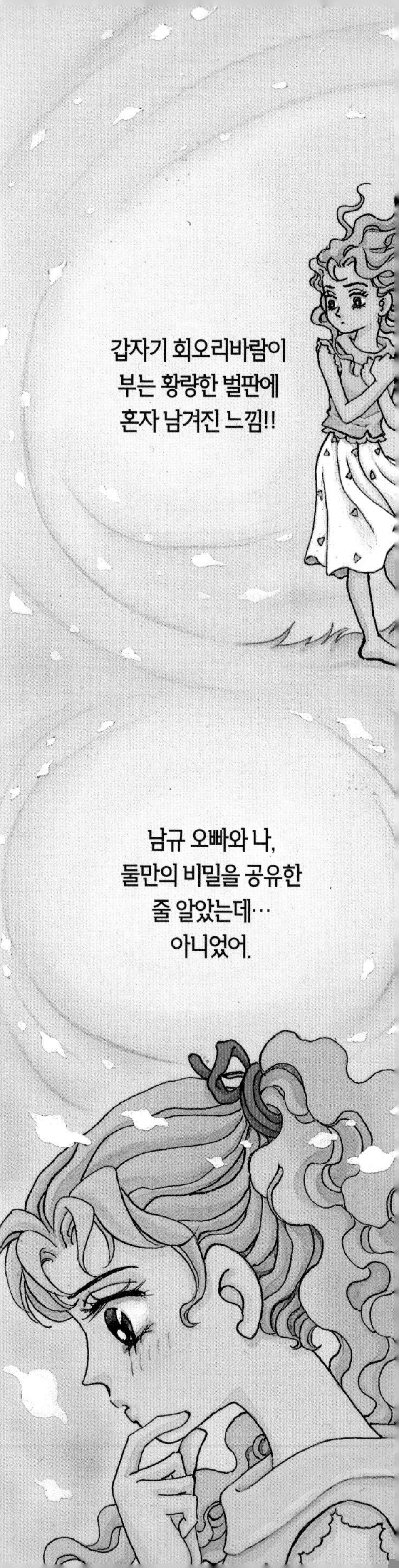

갑자기 회오리바람이
부는 황량한 벌판에
혼자 남겨진 느낌!!
남규 오빠와 나,
둘만의 비밀을 공유한
줄 알았는데…
아니었어.

우리 축구 보러
갈 건데 너도 같이
갈래?
아뇨!
으잉?

어어… 나루
화났나 봐. 아님
내가 싫거나….

정말로
그런 거냐?
……!!

저 먼저 갈게요.
어어…
야! 강나루!

바보같이…
정말 바보 같았어.

잠깐 정지!
끼익~

또 너야?
너 또 다
봤겠네!

남규 오빤 고2.
나랑은 상대도 안 되게
까마득히 높고 먼…
첨부터 너무 황당한
기대였어. 그치?
글쎄~

날 웃기는
애라고 생각할
거야. 그치?
글쎄~
혼자 좋아하다
만 것도 실연 축에
끼나?!
나 실연당한
거야. 그치?
글쎄~
뭐야아~
정말..
글쎄네~

나루야? 말도 없이
어딜 갔다 왔니?
그냥 어디
좀….

왜 그렇게 축
늘어졌어? 무슨
나쁜 일이라도…
어엇?
흑, 엄마~
와락

아니?
얘, 나루야?!
왜 그래?
무슨 일이야?
그냥….
그냥 엄마가
보고 싶었어요.
에엣? 내가
어디 멀리멀리
갔다 왔었나?!

인간의 존엄성

신비한 생명의 탄생

야~강나루!
하
아
나루야!
아! 몽이야…
한 시간 정도는 기꺼이 기다렸다. 어? 근데 너 어째 이상하다!
미안! 좀 피곤해서…
갸우뚱…
강나루, 너~ 무슨 일 있지?
무.. 뭐가?…
요 앙큼쟁이! 비밀 키우지 말고 요새 너 우울한 까닭이나 빨랑 실토해!

얘기하면 몽이도
어이없어하면서
막 웃을 거야….

나중에
얘기할게.
그래? 뭐 좋아,
기다려 주지!

언제나 산뜻한 몽이!
그래서 더 좋고…
부러워.

나루야, 우리 집에
경사 났다! 우리 노총각
막냇삼촌 장가
간대.
정말?!
애인 없댔잖아!
글쎄 보름 전에
만나서 어제 청혼했구,
오케이 받았대.
와, 초고속이네~
그치? 오늘
인사 온댔는데
정말 기대돼.

와! 삼촌
능력 있네~
싱글벙글
생글생글
드디어 앓던 이
빠지고 이쁜 새 이
얻은 기분이다.
맘에 드는
쫄병 하나
생겼당~.
흐뭇
흐뭇
으쓱
미인형에
서글서글…
인상도 좋구!

신부감 배웅
잘하고 오셨어요?

그럼요.
우리 수미씨
어땠어요, 형수님?
윽~
우리 수미씨?!
굿! 베리 굿이에요.

잡혀도 좋고
노예가 되어도
좋다는 거
아니냐!
싱글벙글
삼촌! 벌써부터
예비 숙모에게 꽉
잡혔네용~
심해도 좋고 눈꼴 셔도
좋으니 빨리 날 잡아
결혼식 치르고
허니문 베이비
만들어 어머니 소원
풀어 드려라.
우우~ 심하다~

허니문 베이비?!
흠
흠…
첫날밤 잘
치르란 소리야, 인마!

첫날밤에
뭘 잘 치러?

으이그…
으잇?…

여보! 여기 당신 닮아
호기심 많은 따님 좀
해결해 주셔.
알았어요!
에
에?…

허니문이
뭔지는 아니?
몽이네
노크 필수!
신혼 여행
이잖아.

베이비는 아기구.
뭐야, 그럼 신혼
여행 아기?!
그래, 그러니까
신혼 첫날밤에 아기를
잉태하도록 해라,
그 말씀이지!

왜 그래야
하는데?!
할머니 소원이
하루빨리 막냇삼촌
손주 보는 것이거든!
아
항~~

근데 첫날밤에
같이 자기만 하면
아기가 생겨?
자, 들어 봐라.
내 소속 몽이씨!

신비한 생명의 시작

여자의 난자와 남자의 정자가 만나 결합한 수정란으로부터 아기가 생겨 난다는 건 알고 있지요? 그런데 어떻게 난자와 정자가 만나냐고요?

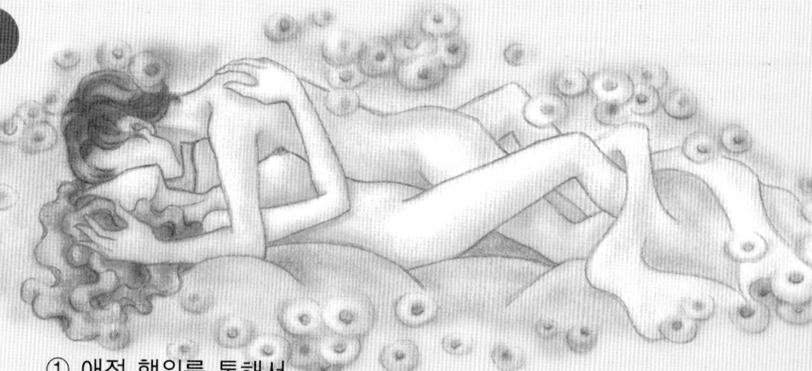

① 애정 행위를 통해서 남자의 정액이 여자의 질 속으로 들어간다.

② 그러면 정액 속에 들어 있는 2~3억 마리의 정자가 앞다투어 난자를 찾아가고 그 경주에서 일등을 한 정자가 난자와 결합해 하나의 수정란이 된다.

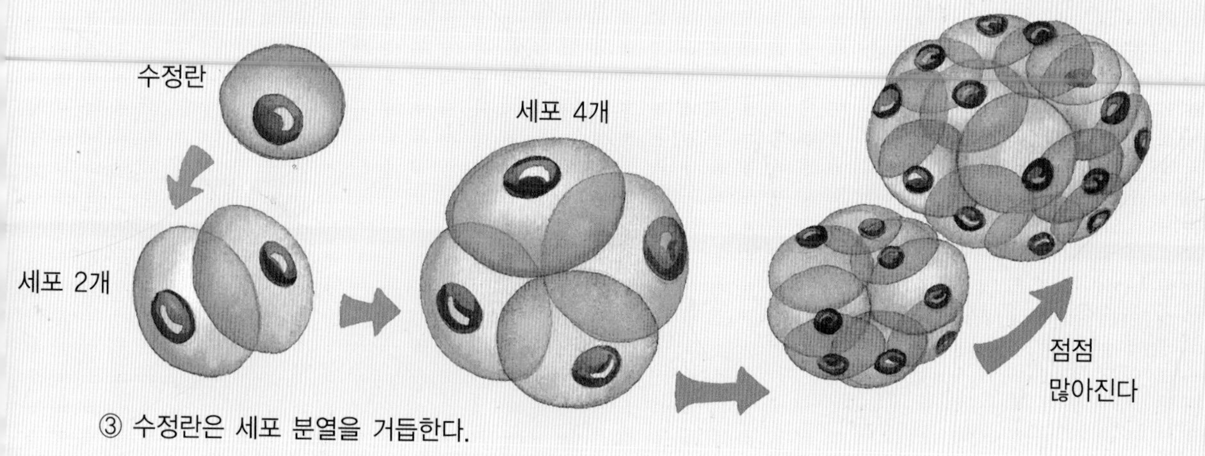

③ 수정란은 세포 분열을 거듭한다.

④ 세포 분열을 거듭하면서 태아에게는 손발 등 여러 기관이 생기게 된다.
그리고 10개월 정도 엄마의 뱃속에서 탯줄을 통해 영양분을 섭취하면서 자란다.

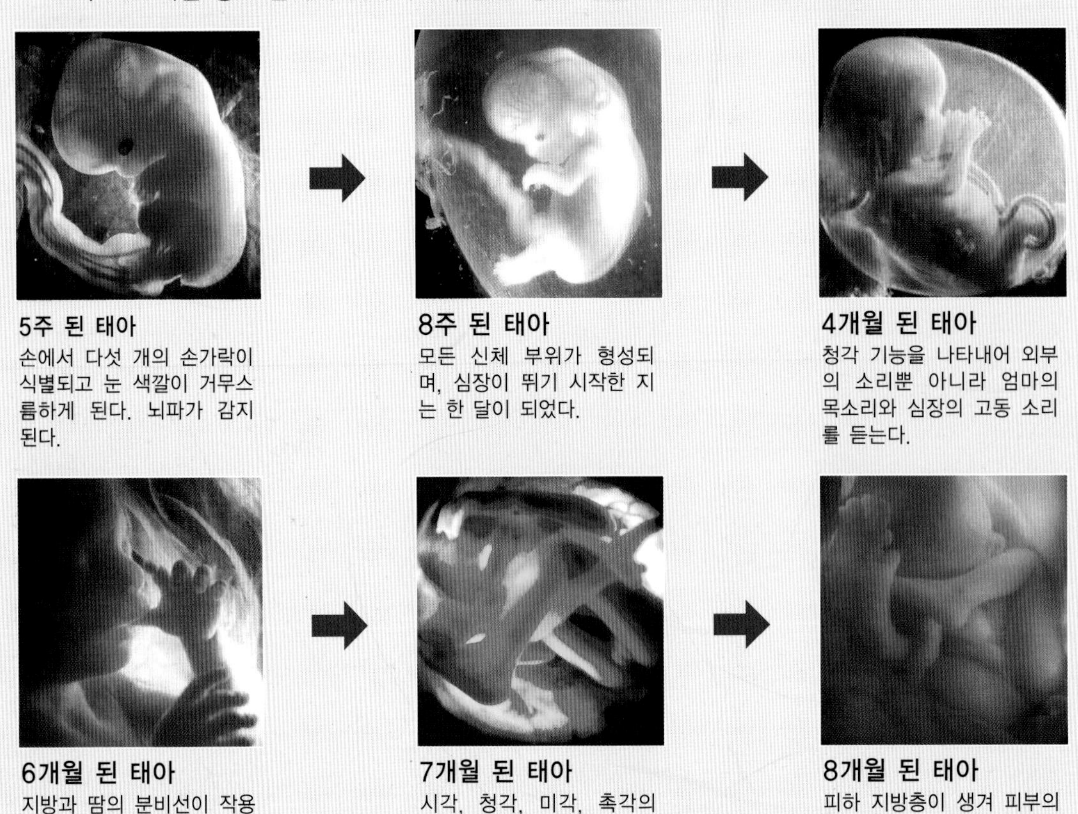

5주 된 태아
손에서 다섯 개의 손가락이 식별되고 눈 색깔이 거무스름하게 된다. 뇌파가 감지된다.

8주 된 태아
모든 신체 부위가 형성되며, 심장이 뛰기 시작한 지는 한 달이 되었다.

4개월 된 태아
청각 기능을 나타내어 외부의 소리뿐 아니라 엄마의 목소리와 심장의 고동 소리를 듣는다.

6개월 된 태아
지방과 땀의 분비선이 작용한다. 만일 이 시기에 태어나더라도 보호 조치를 잘하면 살 수 있다.

7개월 된 태아
시각, 청각, 미각, 촉각의 네 감각을 사용하며, 엄마의 음성을 알아듣기도 한다.

8개월 된 태아
피하 지방층이 생겨 피부의 두께가 두터워지며, 몸에는 항체가 점점 증대한다.

아무 때나 정자를 만나면 잉태가 되는 건가?
아니, 그건 그렇지 않아!

그럼 마음만 먹는다고 허니문 베이비가 생기는 건 아니잖아.

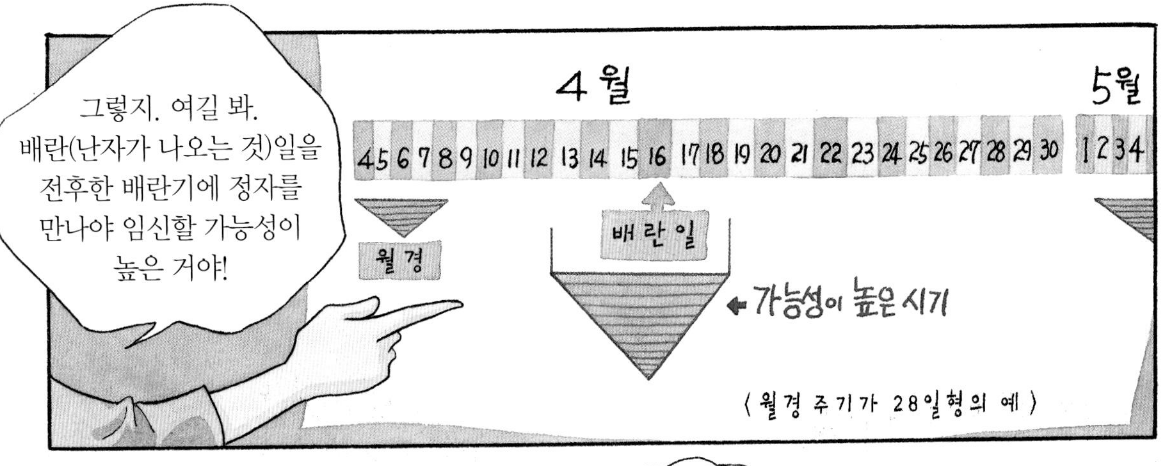
그렇지. 여길 봐.
배란(난자가 나오는 것)일을
전후한 배란기에 정자를
만나야 임신할 가능성이
높은 거야!
4월
5월
4 5 6 7 8 9 10 11 12 13 14 15 16 17 18 19 20 21 22 23 24 25 26 27 28 29 30 1 2 3 4
월경
배란일
가능성이 높은 시기
(월경 주기가 28일형의 예)

기왕 할머니 소원
풀어 드릴 거면
내일부터 그냥
허니문을…
뿅

맞을 소리
한 거 알 텐데?
왜… 왜요?
전혀 틀린 소린
아닌 것 같은데…
흐흐~

나도 확실한
대장 노릇 좀 하게
어서어서 삼촌네
애기 낳았으면
좋겠다.
대장 노릇
좋아하는 걸 보니
확실한 내 딸이군!
척…

엄마, 근데 어떻게
해서 딸아들로
결정되는 거야?

남자와 여자는 어떻게 결정되나요?

남자의 정자에는 남성 씨앗을 지닌 Y염색체와 여성 씨앗을 지닌 X염색체가 있다고 합니다. 그런데 X염색체를 지닌 정자가 여자와 결합하면 성염색체가 XX가 되어 여자아기가 되고, 반면 Y염색체 정자가 골인하면 XY가 되어 남자아기가 됩니다.

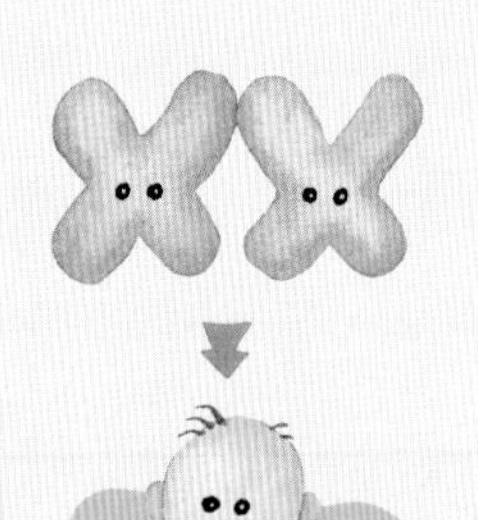

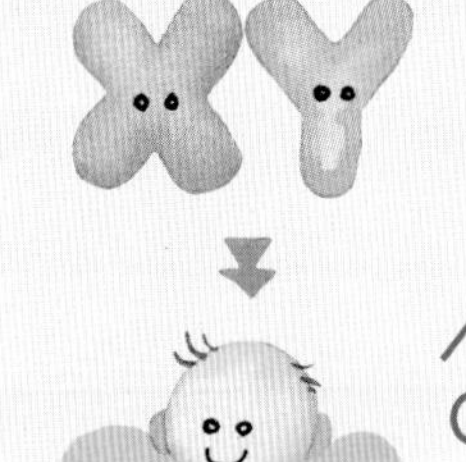

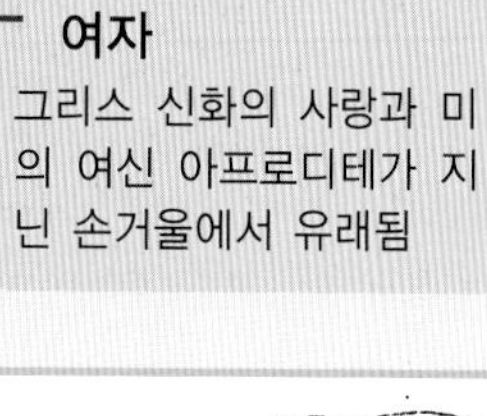

그리스 신화의 사랑과 미의 여신 아프로디테가 지닌 손거울에서 유래됨

♂ **남자**
그리스 신화의 전쟁의 신 아레스의 창과 방패에서 유래됨

뭐야, 그럼
아들 못 낳는다고 구박받은 옛날 엄마들은~
억울한 거지. 옛날엔 그런 사실을 몰랐으니까…

어유~ 모르는 게 약, 아는 게 병이란 말도 다 엉터리잖아!

그런 속담을 쓸 덴 따로 있는 것 같은데?
혹시 지금의 엄마 말씀들도 다 엉터리…?!

엉터리 엄만
그럼 이만….
턱
잠깐!

엄만 내가
잉태된 걸 어떻게
알았어?

내가 무슨
신호라도…
보냈지!
바로 요렇게!

태아가 보내는 일곱 가지 신호

아기가 잉태(임신)되면 다음달부터는 월경이 나오지 않아요. 아기 궁전의 주인공을 만났으니 배란이 중지되는 것이죠!
(단, 월경 주기 자체가 불규칙한 초경 직후의 10대들은 이것으로 알기는 쉽지 않음)

배란 스톱!
드디어 나의
주인장을 모시게
되었다오~

감기에 걸린 것처럼 열이 높은 날이 3~4일 정도 계속된다.

으흐~
으스스…

자궁이 커지면서 방광이 눌려 소변이 자꾸 마려운데다 소변을 본 뒤에도 뒤끝이 개운하지 않다.

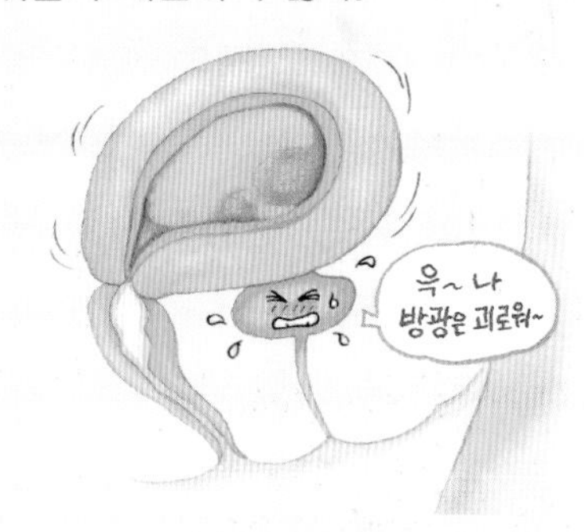
윽~ 나
방광은 괴로워~

우윳빛의 끈끈한 액체가 나와 팬티를 적시고, 심한 피로감을 느끼면서 신경이 날카로워진다.

건드리지 말라니까~
밥 달라니까~

2~3개월쯤 되면 갑자기 신 것이나 평소 먹지 않던 음식이 먹고 싶어지기도 하고 헛구역질이 나는 등 입덧이 시작된다.

웨엑~

4개월쯤 되면 배가 불러 오기 시작하고, 젖이 커지면서 젖꼭지가 거무스름하게 변해 간다.

5~6개월쯤 되면 배가 제법 불룩해지고 태동(태아의 움직임)이 느껴지게 된다.

와앗~
꿈틀..꿈틀..

TV 드라마에서 봤는데 화장실에서 무슨 테스트를 하는 것 같던데?

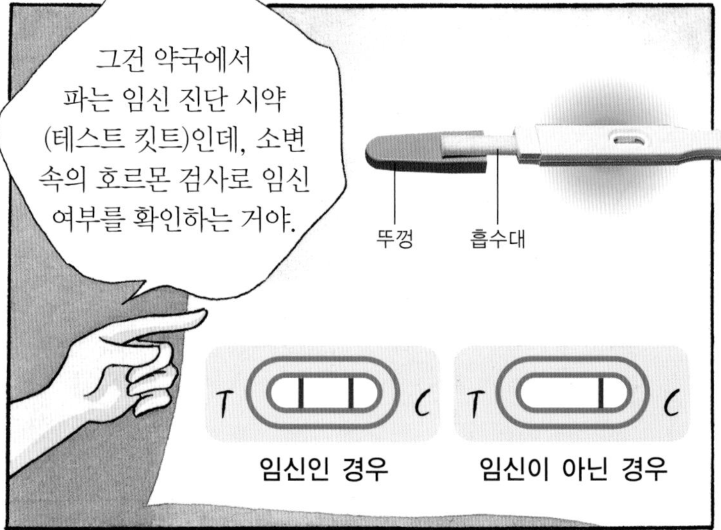
그건 약국에서 파는 임신 진단 시약 (테스트 킷트)인데, 소변 속의 호르몬 검사로 임신 여부를 확인하는 거야.
뚜껑
흡수대
T C
임신인 경우
T C
임신이 아닌 경우

10대의 어린
미혼모 얘기
들어 본 적
있지?
음, 저번에…

성지식이 없어서
자기가 임신이 된 줄도
모르고 있다가 그렇게
된 경우가 많다고 해.

으음~
그러니까
미리 잘 알아
두라는 말씀?!
곤혹스런 얘길
계속하겠다는
말씀?!

올바른 성지식은 나를 지키는 큰 힘!

가끔 TV 뉴스나 신문에서 10대의
미혼모 문제가 얘기되는 걸 보게 됩니다.
그럴 때마다 어른들은 "세상에 어쩜 좋아! 저렇게
어린애가 어쩌다가…" 하고 한숨을 쉬지요.
정말 어쩌다 그런 일이 생겼을까요?

아무것도 모른 채 단지 남자 친구랑 같이 있는 게
좋아서 준비도 없이 남자 친구와 성관계 후 임신이
된 후에야 후회하는 경우가 간혹 있지요.

여자가 월경을 시작했다는 건 곧
아기를 임신할 준비가 되었다는 것임을 알아야 합니다.
그러니 여러분 모두 올바른 성지식을 갖고 신중하게
행동하여 행복한 청소년 시절을 보내기를!

엄마도 내가 그런 경우에 처했다면 사랑으로 감싸 줄 거야?
뭐
뭣

역시! 울 엄만 기절이나 해서 날 더 괴롭힐 거야. 뻔해!
뭐, 일단 놀라 자빠지긴 하겠지만…

뭐야, 너~ 그런 일 예방 차원에서 열심히 연설하는 중에 느닷없이…
한번 놀래켜 본 거야. 엄마가 어떤 반응을 하는지 보려고. 헤헤~

그나저나 아웅~ 머리 아파! 정말 여자들만 사는 나라는 어디 없나?
퍽

엄마가 그런 나라에서 살았다면 오몽이란 아이가 태어났을까?

에엣?!
똑
똑

낙태

낙태(임신 중절 수술)란?

임신 때문에 산모의 건강이 위험할 경우, 태아에게 유전적으로 장애가 있을 경우, 또는 태어나도 생명을 유지할 수 없을 경우에 한해서 임신부의 몸에서 아기를 없애는 일입니다.
하지만 요즘은 낙태를 너무 쉽게 결정하는 경향이 있습니다.
낙태는 결코 한 개인의 문제가 아닙니다. 산모의 건강을 위해서도, 인간 생명을 존중하는 차원에서도 신중히 생각해야 할 사회 문제입니다.

태아도 인간 생명체이다

태아는 40일이 되면 이미 뇌파가 측정된다고 합니다.
8주 정도 된 태아는 육안으로 식별할 수 있는 모든 신체 구조를 형성하고 있고 뚜렷한 지문도 있습니다.
또한 이 때는 외부의 자극에 대해서 민감히 반응해서 밖에서 자기의 생명을 위협해 들어오는 것이 있으면 살아남기 위해 필사적으로 피해 다닌다고 합니다.
낙태 시술에는 흔히 태아를 잘게 부수어 끌어내는 방법을 씁니다. 빨아당기는 힘이 아주 센 기계로 자궁 속의 태아를 빨아당겨 끄집어내거나 기계를 자궁 속으로 집어넣어 긁어내는 방법을 쓰기도 합니다.

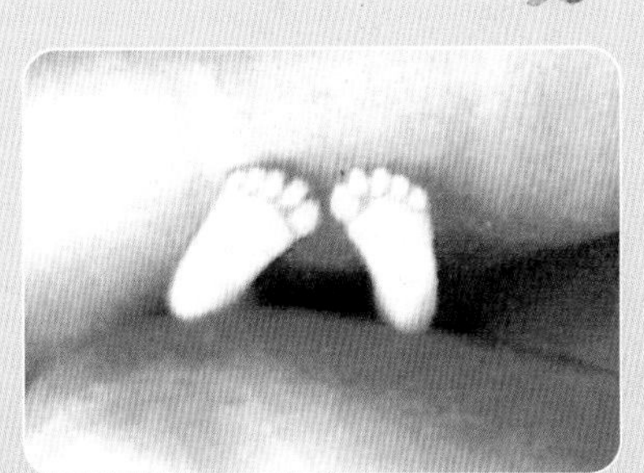

10주 때 실제 태아의 발

낙태의 문제점

낙태로 인해 산모는 정신적으로 심한 죄책감을 느끼게 되고 자신감도 잃게 됩니다.
또한 수술에 의한 부작용이나 후유증으로 고생할 수도 있습니다.
이렇듯 낙태는 몸과 마음에 심각한 상처를 남기는 것입니다.
청소년의 경우 자궁이 완전히 성숙되지 않은 상태에서 임신 중절 수술을 할 경우 자궁에 손상을 입어 성인이 되어 결혼을 해서 임신할 때도 나쁜 영향을 끼칠 수 있는 아주 불행한 일입니다.

여성 여러분!
대충하고 그만
잠자리에 드시지요.
어유~
아빠 엄마랑 같이
주무시지 않음 어디가
덧나시나요?
옆구리가 허전해서
그런다. 왜 불만이냐?
홱
아, 또 있다!
만날 같이 자는
어른들은 그럼…
수없이 많은
아길 가졌게?!
으잉? 요 녀석이
이 아빠의 존재를 완전히
무시해 버리네.
서러우시면
그만 빠져
주시와요.
벌써 빠지고
있수다!
탁

피임

어른들은 가족 계획을 세워 임신을 피하기도 하는데 이것을 '피임' 한다고 하며 피임법에는 여러 가지가 있습니다.

♥ 월경 주기법

여자의 배란 시기를 정확히 알고 배란 시기를 피하여 부부 관계를 갖는 자연 피임 방법입니다. 몸이 상하지 않는 장점이 있습니다. 그러나 청소년기에는 월경 주기가 일정하지 않아 정확한 배란일을 산출하기가 어렵습니다.

♥ 콘돔을 이용

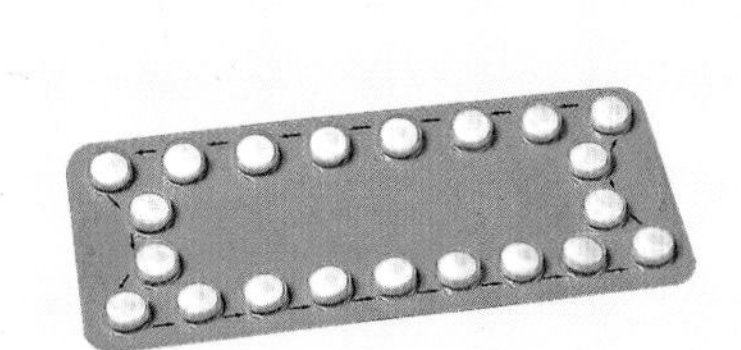

남자의 정액이 여자의 질 속으로 들어가는 걸 막도록 고안된 고무 풍선 같은 것을 남자의 성기에 덮어씌우는 방법이지요. 사용 방법이 매우 간단합니다.

♥ 기타

여자의 질에 넣는 살정제(정자를 죽이는 약)와 여자용 콘돔이랄 수 있는 페미돔이 있고, 여성 호르몬인 에스트로겐과 프로게스테론이 함유된 먹는 피임약도 있습니다. 많이 사용할 경우 건강에 해를 끼칠 수도 있습니다.

하기 힘든 얘길 길게 했더니 엄청 고단하군!
듣는 소녀도 고단하와 이만 취침을…

그 소녀의 모친도 그럼 이만… 잘 자라!
Z Z Z
벌써 코올~

청소년 성매매

어른들 세계에서도 뿌리 뽑혀야 할 악습인 성매매(매매춘)에 청소년들까지 끼여들어 청소년 성매매가 점점 늘고 있다고 하니 정말 가슴 아픈 일이에요.

청소년이 성매매를 하는 이유

한국청소년상담원 실태 조사에 따르면 청소년이 성매매를 하는 이유는 '용돈을 벌기 위해서', '비싼 옷이나 가방 등을 노력하지 않고 손쉽게 마련하기 위해서'라고 합니다. 그리고 상대방을 만나는 방법으로는 주로 인터넷 채팅이나 전화방을 통해서라고 합니다. 단지 쉽게 돈을 벌 수 있는 방법이라고 생각하여 성매매를 한다면 이것은 지극히 잘못된 생각입니다. 성을 팔고 사는 행위는 건전한 정신을 파괴하는 것임은 물론 단순한 상품 매매와는 달리 성병에 감염되거나 임신이 될 수도 있는 등 끔찍하고 심각한 일이기 때문입니다. 또한 성폭력의 위험도 따릅니다.

내 몸은 내가 지킨다

채팅으로 만난 나쁜 어른에게 돈을 받고 그의 요구를 들어 주는 건 스스로 자신의 성을 착취당하겠다고 나선 것이나 다름없어요.
오로지 돈을 펑펑 쓰고 싶어서 자기 몸을 값싼 물건처럼 내던지는 사람들은 자신의 존재를 몇 푼 되지 않는 인형처럼 취급하는 것입니다.
부끄럽게 번 돈은 며칠 신나게 쓰고 나면 없어지지만 스스로 팽개친 자존심과 상처입은 몸과 마음은 쉽게 회복되지 않습니다. 또한 마음에 맞는 이성 친구를 만났을 경우 올바른 이성 교제를 하기 어려울 수도 있습니다. 여러분 생각은 어때요?!

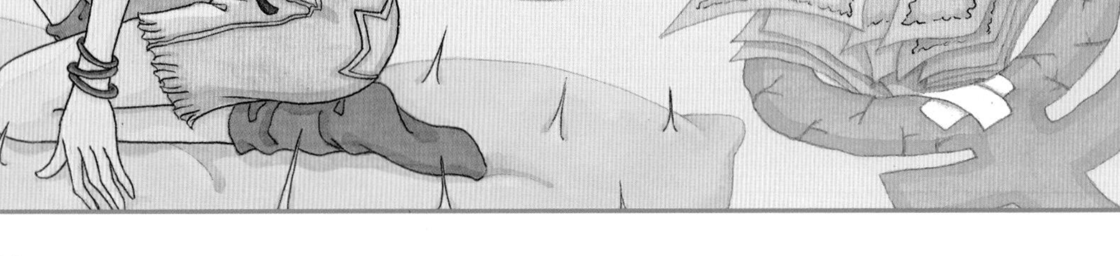

사이버 폭력

메일을 주고받고 공부도 하고 채팅도 할 수 있는 중요한 정보 매체 인터넷!
그런데 인터넷을 자기 열등감이나 스트레스를 괴상하게 푸는 도구로 사용하는 사람들도 많아졌어요. 얼굴이나 신분이 드러나지 않는 점을 악용해서 성적인 모욕감과 불쾌감을 주는 글을 올리는 아주 비겁한 행위를 하는데 이것이 바로 '사이버 폭력'이에요.

대처 방법

그렇게 신분이 드러나지 않는 점을 이용해서 비겁한 짓을 하는 이들은 일상 생활에선 대개 겁쟁이라고 하네요. 누군가 자기 말에 대응해 주면 상대방도 좋아서 그러는 줄 알고 더 노골적으로 나오지만 경찰에 고발하겠다고 으름장을 놓으면 대부분 자취를 감추어 버리지요.
인터넷 상에서 성폭력성 글을 접하면 여러분은 어떻게 하겠어요?
못 본 척 그냥 무시해 버리겠어요? 아님, 재미삼아 대꾸해 주겠어요? 또 아님,
정말로 사이버 성폭력 신고 센터나 사이버 범죄 수사대 등에 고발하겠어요?

● 사이버 성폭력 신고 센터

정보통신윤리위원회
http://www.gender.or.kr

여성인터넷지킴이
http://www.wmonitor.or.kr

여성부
http://www.moge.go.kr

한국성폭력상담소
http://www.sisters.or.kr

성문화연구소
http://www.yline.re.kr

한국여성의전화연합
http://www.hotline.or.kr

세이프사이버넷
http://www.safecyber.net

한국성폭력위기센터
http://www.rape119.or.kr

성희롱예방캠페인
http://www.stopsh.pe.kr

내일여성센터
http://www.tacteen.net

몸과 마음의 순결

순결에 관한 진짜 의미

시끌
시끌

속닥…
OK~
나 좀 잘게.
응!

똑똑 또옥~

오몽이 씨,
면회요~
건들지 마.
에너지 충전중
이니까!

충전 대충 하고
상대해 주는 게
이익일 텐데?

왜냐, 너한테 온 선물 상자를
내가 가로챌 수도 있으니까!
선물 상자?
번쩍
흐~ 잘나신 몽이씨도 선물엔 약하시군!
자~ 선물 배달이오~
탁
누가 보낸 거지?
갸우뚱...
궁금하면 빨리 열어 보셔.
내가 대신 열어 줘?
됐네요, 너만 손 있니?

아니, 이게
뭐야?
학교 화단에서
꺾은 꽃
이것 좀 봐.
역시나였어~
노칠구
오몽이

노칠구의 청혼
연습이라던데
맘에 드냐?
당연히 맘에
들걸?!

맘에…
드·냐·구?!

끄아악~
그게 내 대답이다. 대답이 맘에 드냐?
팔짝
팔짝
역시 오몽이는 강자라니까~
잘했어, 오몽이!
말이 안 되나? 말해 놓고 나니 좀 이상하네.
따르르르르르…
결혼에 대한 나의 순결한 꿈을 욕되게 만들려 들다니… 흠!
뭔 꿈? 순결한 꿈?!

자, 38쪽을 펴도록!
힘차게

선생님! 아주 중요한 질문이 있는데요.
어머나! 웬일로 노칠구가 중요한 질문을 다하고.
이거 기대 되는데?!

순결이 뭐예요?

뭐~어? 순결?

으윽~ 노칠구 저 골통이 또 무슨 수작을…
정말이지 못 말려~

어떤 여자애 꿈이 순결이래나 뭐 그래서요, 선생님!

으윽~ 못살아! 내 이름을 밝히지 않은 것 만으로도 감사해야겠군. 두고 보자 노칠구?!
그래, 순결이 뭔지 아는 사람?!
저요!
..얘가 손들 때도 다 있네~
순결은 처녀막이래요.
옛날엔 처녀막이 없으면 순결하지 못하다고 소박 맞았대요.
누가 그러던?

우리 할머니가 우리 누나한테요.
웬 처녀막?
그게 뭔데?
소박 맞아?
뭔 소리

순결과 처녀막에 관한 오해

순결의 의미를 특히 여자의 처녀막에 국한하여 생각하는 경향이 많습니다. 하지만 이것은 잘못된 상식입니다.

처녀막

처녀막이란 여자들의 성기 입구, 즉 질구 바로 안쪽에 있는 근육 조직인데, 그 중앙엔 월경 때 피가 흘러나올 수 있도록 작은 구멍이 뚫려 있습니다.

이 처녀막은 사람마다 각기 달라서 처음부터 구멍이 크거나 구멍이 여러 개인 경우, 아예 막힌 사람도 있고, 드물게는 처녀막이 없이 태어나는 경우도 있습니다.

처녀막은 성교할 때 파열되기도 하지만 자전거를 탄다든가 수영 등 심한 운동으로도 쉽게 파열됩니다. 그러니 처녀막이 있느냐, 없느냐를 놓고 '순결하다, 순결하지 못하다' 하고 논하는 것은 아무 의미가 없는 것입니다.

무식하면 용감하다더니, 뭘 몰라 용감하게 소박 맞았군요. 맞지요?
히히…
크큭…
하앙~ 노칠구다운 해석이구나.
선생님! 혹시 총각막 같은 건 없나요?
그 대답은 꼬마 총각 노칠구가 해 볼래?
에엣? 에… 그… 총각막은 필요 없고…
저의 이 순수한 눈을 보면 바로 순결한 제 모습이 보이고…
우우우~
우우 우~…

아님 말구~
털썩
콩
히히..
크크..
베베~
R
R
R
언니, 남자 친구 전화야.
어머, 그래?
발딱
아, 학수야!
응? 만나자고, 지금?
…….

글쎄 이 밤중에 어딜 가냐니까~
글쎄 금방 다녀온다니까 그러시네~
너, 오늘 내일은 이 이모가 너희들 감독관인 거 잊었냐?
금방 다녀올게요, 감독관님~

콰
당
그루야! 야, 강그루~
어유~ 저 뺀질이!

누구 전화였니?
학수라는 남자 친구…

그래? 이 늦은 밤에
여자 친구 불러내는
머슴아라면 곤란한데?!
털썩
곤란하다니
뭐가요?

매너라곤 도통
없는 녀석 같아서
걱정이라 그거지!
아아!

금방 다녀온다더니
얘가 도대체…
하, 요것 봐라!
제 부모 부재중이라고
완전히 제멋대로네~
임시 책임자인
날 무시했다
이거지?

현관문 잘 잠그고 있어라, 나루야!
나가 보시게요?
확
식식
그래, 온 동네를 뒤져서라도 체포해 와야겠다.
아니 대체 요것이 어디 간 거야?
나 물먹이려고 작정이라도 한 거야?
강그루~ 잡기만 해 봐라. 눈물 쏙 빠지게 혼쭐을…
야아~ 왜 이래?

혹시 그루… ?!
뭘 그래,
가만 있어 봐.
왜 이래, 정말~
아니, 저… 저,
야, 강그루!
꺄악~
이, 이모!!
이모라고?!
벌떡
발딱
이모? 지금
이 순간은 네 이모
하기 싫은데?!
척

아.. 안녕하세…
그럼 안녕히…

꽁지에 불붙었군~
쌔
앵

찌리링
찔끔
요 맹랑한 것을 그냥 확!
앗!
턱

쳐… 이모! 빨리 한 대 치고 짧게 끝내 줘!

응? 안 쳐?
그루~ 너 몇 살이지?!
가자!

열여섯! 근데 왜…?!
쓴소리 좀 할 테니 달게 들어!

얘기 안 해도 다 알아. 싫다고 해도 자꾸 그러는 걸 어떡해.
괜히 내숭으로 빼는 것처럼 '싫어엉~' 하니까 말이 안 먹히지!

딱 부러지게 거부했는데도 자꾸 그러면?
따귀를 짝 올려붙여!
에
엣?…
아항, 이제 알겠다. 이모가 여태 시집 못 간 이유를!
깡

체포하는 데 꽤 오래 걸렸네요.
아예 체벌까지 마치고 오느라구.
힝
엄마한테 고자질할 거야, 이모?!
고자질 따윈 안 해!
보고만 할 거다.
이모~

동성애에 대해

여자가 여자를, 남자가 남자를 좋아해서 성적인 관계로 발전하면 이것을 '동성애'라고 합니다. 여자 동성애자는 레즈비언, 남자 동성애자는 게이 또는 이반이라고 하지요.

요즘에는 동성애자들의 수가 점점 늘고 있고 또한 그들의 사랑도 존중해 주어야 한다는 주장도 많아졌어요. 이성이든 동성이든 성의 선택권은 개인의 자유라는 것이죠. 몇 나라의 경우는 법적으로 이들의 결혼을 인정하는 곳도 있답니다.

여러분은 동성애에 대해서 어떻게 생각하세요?

아름다운 성과 사랑을 위하여

나루야, 내일
나랑 약수 뜨러
가자.
응? 너네
약수 떠다 먹니?
울 엄마의 특명이셔!
이 가녀린 팔로 기어코
떠오라는 거야.
뭐 교육상
필요하대나?!
훗, 너희 엄마
참 재밌는
분이시다.
짜작

뭐야, 너 또…
야, 니들은 오늘도 딱풀 커플이냐?

넌 웬일로 혼자니?
에구 지겨워~

잠시 찢어져 있을 때도 있는 거지잉~
어맛! 킥~
··???

왜들 저래?
키득.. 킥...
히히...
끼껄...

그러게, 허파에
바람 들었남~
호홋..
야! 날 뭘로 보고…
사나이는 똑같은 짓을
두 번 하지 않는다!
똑같은
강펀치도
두번 먹긴
싫다네~
뭣? 또?
혹시 저번처럼
네 등짝에…?!

정말 이상하네~
단체로 웃는 병에
걸렸나 보다. 이잉~
근데 왜들
저런다니?
오마나~
푸훗~
이힉~ 키킥

그럼 난 이쯤에서
안뇨옹~
오잉?
칠구 등짝을 클로즈업
앤 내거!
넘보면 알지?
으악~ 못살아~
등짝만
바꿔 붙였네…
저 골칫덩어리를
대체 어떻게 다스려야…
재, 혹시…

너 진짜 좋아하는 거 아냐?
뭐, 뭣?
띠옹
그 무슨 끔찍한 소릴…
노칠구 같은 장난꾸러기는 애정 표현도 장난처럼 한다던데…
뽀글
뽀글
폭 폭 폭 폭
푹 푹
으윽~ 적군은 바로 내 옆에도 있었군!
홱
어? 삐친 거니 몽이야?!
아니, 화났다!
탁
탁

내일 열 시까지
학교 앞으로
나오기나 해!
어… 진짜루?!
야-너들
비켜!
흥!
으으~ 너무
많이 담았나 봐.
좀 쏟아내고
가면 되잖아.
근데 몽이 네가
전에 물었었지?
무슨 일 있냐고…
응!
왜 이제
실토할래?
응! 나 혼자만
비밀 갖는 거
미안해서…

사실은 나…
어떤 오빠를…
오… 오빠다!
얘가 지금
뭔 소릴…
어? 민영 언니잖아?!
어엇?
강나루!
어머! 나루…
몽이야?!
뭐야, 나루랑
민영 언니랑
아는 사이야?
몽이 너도?!
오잉?!

몽이 물 뜨러 왔구나.
나루는 여기서
또 보네~
언닌 등산중?!

응. 등산중!
아, 이 친구는
주남규…
안녕! 귀여운
꼬마!
꼬…마?
안녕하세요?
아·저·씨!
남규 오빠와 민영 언니…
너무나 잘 어울려.
속상할 만큼 너무나 잘…
민영 언닌 우리
외사촌 언니야.
몰랐지? 나루야.
쿡…

안녕히 가세요.
안…뭐?
에에?!
팩
홱
나루야, 왜 그래? 얘기 좀 나누고 같이 가.
야~강나루?!
재가… 왜 저래?
왜 저러지?
글쎄~

갸우뚱
또 바보같이 굴었어…

감 잡았다!
응? 뭐, 뭘?

너, 저 오빠 좋아하지? 맞지?
어… 어…
오잉? 진짜 정말인가 보네?!

야~ 강나루!
꿈 깨! 그 오빤
우릴 꼬마로…
알아! 이미
꿈은 깼어!

오잉?

꿈은 깼는데
마음이 추워!
에엣 ?!

남규 오빠를 빼앗긴 게
아니고 그 두 사람의 정겨운
그림 사이로 내가 끼여들고
싶었을 뿐인데…

마음이 춥다고?
난 노칠구 땜에
더워 죽겠는데…
후끈…
아부부~
그런 것들이 성숙을
위한 과정이라면?
뭣?
에엣?
작별 인사도 할
겸 따라왔지!
작・별・인・사?
그전에 우선 내
얘길 들어 봐!

사춘기에 겪는 혼돈, 슬픔, 분노, 방황 등은 몸과 마음이 성숙한 어른이 되기 위한 자연스러운 과정입니다. 또한 가장 순수하고 아름다운 디딤돌이지요.

10대 초반까지의 모든 것들은 이제 막 돋아난 새싹 같은 것이에요. 그 싹을 어떻게 가꾸냐에 따라 그 결과물은 완전히 달라지지요.

많은 배움의 기회와 건전하고 폭넓은 교우 관계는 성숙의 디딤돌이자 성장의 비료가 되어 줄 것입니다.

좋은 친구들 많이 사귀고 미래의 꿈을 함께 의논해 보세요.

그렇담 그 애
장난을 기꺼이
접수해야겠네~
읏~ 생각만 해도
덥다~ 아부부~
도리질 멈추고 내
얘기 마저 들으셔~

당당한 어른이 되기까지

당당함이란 어디에서 나오는 걸까요?
바로 자신감에서 비롯되는 것입니다!
그럼 자신감은 또 어디에서 나오는 것일까요?
공부나 운동, 특기 등에서 스스로 만족할 만한
성과를 올렸을 때 생기는 것입니다.

그럼 어른이 되었을 때의 자신감은?!
정신적, 경제적으로 자립하고 꿈을 이루어 가는
과정에서 성취감을 느끼면서 나오는 것입니다.
거기에다 자신의 사랑을 스스로 선택하고,
성생활을 즐겁게 누리고 책임지는 '성적 자립'까지
할 줄 알아야 진정한 어른인 것입니다.
그러니 그 때까지는 자신을 엄격히 다스리면서
능력을 키워 갈 줄 알아야겠지요?

참을 줄 알고 어렵게 이겨 낸 뒤엔 훨씬
선택의 폭이 자유롭다는 것 기억하세요.

어때? 당당한
숙녀로 성장해
갈 자신 있어?
…글…
…쎄~
당당한 숙녀?!
왠지 기대되네…
미래엔 뭔가 더
흥미롭고 멋진 일들이
기다리고 있을
것 같아.
다음에 우연히
남규 오빨 만나면 꼭
웃으면서 인사해야지.
공연히 새쭉해서 돌아
서지 않을 거야!
앞으로도 쭈욱
지켜볼 거야.
저~기서…
뭐야, 몰래 카메라
처럼 본다고?!
아우~

싫어! 감시의
눈길은 노 땡큐!
절대 사절이야!
좋아, 그럼 아예
사라져 줄게!

안녕~
에에?
어어?!

눈 깜짝할 새
사라졌어.
그렇다고
그렇게 금방…
너무 서운하다.
그치?
하나도 안 서운해!
아주아주 시원~
하다, 뭐…

으음… 넌
아주아주 시원해도
찔끔거리는구나?!
END